Neben Georg Heym und Georg Trakl gilt Ernst Stadler als der wichtigste Vertreter deutscher expressionistischer Lyrik. Bei aller Verschiedenartigkeit, bei allen Unterschieden im literarischen Rang ist der Einfluß des Lyrikers Stadler beträchtlich; er vollzog die bewußte Abkehr vom Symbolismus und von der Schule Stefan Georges und dringt in seinen letzten Gedichten vehement — und bewußter als Trakl und Heym — in literarisches Neuland vor. Seine Dichtung ist nicht nur Kunstwerk, sondern für uns Heutige auch Dokument einer literarischen Revolution.

Die hiermit vorgelegte Auswahl aus dem Werk Ernst Stadlers enthält erste Gedichte, den berühmten Zyklus ›Der Aufbruch‹ und einige späte, oft übersehene Arbeiten wie die Gedichte ›Ballhaus‹ und ›Die Dirne‹. Das Bild des Dichters wird schließlich ergänzt durch seine Aufsätze über Georg Heym, Gottfried Benn, Franz Werfel und Carl Sternheim: Sie schärfen nicht nur den Blick auf das kritische Ingenium Stadlers, sondern können als Zeugnisse des frühen Expressionismus aus der Feder eines seiner wichtigsten Vertreter besonderes Interesse beanspruchen.

ERNST STADLER

GEDICHTE UND PROSA

Herausgegeben von
HANS RAUSCHNING

FISCHER BÜCHEREI

Erstmalig in der Fischer Bücherei
Juni 1964

Fischer Bücherei KG, Frankfurt am Main und Hamburg
Lizenzausgabe des Verlages Heinrich Ellermann, Hamburg-München
Umschlagentwurf unter Verwendung eines Faksimiles
des Gedichtes »Im Treibhaus«
Gesamtherstellung: Hanseatische Druckanstalt GmbH, Hamburg
Printed in Germany

GEDICHTE
1902—1905

Schwer auf die Gassen der Stadt fiel die Abenddämmerung.
Auf das Grau der Ziegeldächer und der schlanken Türme,
Auf Staub und Schmutz,
   Lust und Leid und Lüge der Großstadt
In majestätischer Unerbittlichkeit.

Aus Riesenquadern gebrochen dunkelten die Wolkenblöcke
Brütend, starr ... Und in den Lüften lag's
Wie wahnwitziger Trotz, wie totenjähes Aufbäumen —
Fern im West verröchelte der Tag.

Durch die herbstbraunen Kastanienbäume
   prasselte der Nachtsturm,
Wie wenn Welten sich zum Wachen wecken
Und zur letzten, blutigen Entscheidungsschlacht.

Trotz im Herzen und wilde Träume von Kampf und Not
   und brausendem Sieg,
Lehnt' ich am Eisengitter meines Balkons und sah
Die tausend Feuer blecken und die roten Bärte flackern,
Sah den wunden Riesen
   einmal noch das Flammenbanner raffen.

Einmal noch das alte, wilde Heldenlied aufhämmern
In wirbelnden Akkorden —
Und zusammenstürzen
Und vergrollen
Dumpf —
Fern ...
Auf der Straße Droschkenrasseln.
   Musik. Singende Reservisten.
Jäh fahr ich auf —
Über Türmen und Dächern braust die Nacht.

DÄMMERUNG
Nach Henri de Régnier

Der Tag verdämmert wie ein seliger Traum.
Wie klar im Abendgold die Lüfte beben!
Und vor der Stunde leisem Fingerheben
zaudert der Tag und blaßt das Leuchten kaum . . .
Laß tief der Stunde Zauber in dir leben!

Aus Quellen steigen blaue Nymphen auf,
der Esche Leib erschwillt von dunklen Faunen,
im Flimmerlaub raschelt des Windes Raunen,
wie hastige Schritte schlürft der Bäche Lauf —
und schallend tief erwacht der Wald mit Staunen.

Doch uns, uns glänzt in dieser Wundernacht,
die unsern Fuß umschmiegt und uns umzieht,
mein Waldgott [*nicht mit*] meiner Quelle Lied.
Uns schreckt ihr Schatten, und von ihrer Macht
droht uns ein Schlaf,
      den Rausch und Schönheit flieht . . .

LEDA
Nach Henri de Régnier

Im Becken, das mit runder Marmorwand
schläfrige Flut faßt, wellenüberfaucht
vom Schwan, der tief den Kopf zum Spiegel taucht,
in dessen grünem Glänzen er sein Auge fand,

wölbt sich ihr Leib, erwartungsvoll gespannt.
Den nackten Fuß umspült des Wassers Blitzen,

und schmachtend lehnt sie an den Muschelspitzen,
sehnsüchtig suchend langt die starre Hand.

Und Schwäne, die die Nymphe müd umschweben . .
Es streift den Leib im Gleiten ihr Gefieder,
ihr weichgeschwungner Hals umkost die Glieder —

Das Erz, das spiegelnd tief im Wasser flirrt
scheint noch in Märchenliebe heiß zu beben,
die selbst im Traum ihr stummes Fleisch verwirrt.

Praeludien
Traumland (Auswahl)

AN DIE SCHÖNHEIT

So sind wir deinen Wunden nachgegangen
wie Kinder· die vom Sonnenleuchten trunken·
ein Lächeln um den Mund· voll süßem Bangen

und ganz im Strudel goldnen Lichts versunken·
aus dämmergrauen Abendtoren liefen.
Fern ist im Rauch die große Stadt ertrunken·

kühl schauernd steigt die Nacht aus braunen Tiefen.
Nun legen zitternd sie die heißen Wangen
an feuchte Blätter· die von Dunkel triefen·

und ihre Hände tasten voll Verlangen
auf zu dem letzten Sommertagsgefunkel·
das hinter roten Wäldern hingegangen — —

ihr leises Weinen schwimmt und stirbt im Dunkel.

STILLE STUNDE

Schwer glitt der Kahn. Die Silberweiden hingen
schauernd zur Flut. Und bebend glitt der Kahn.
Und deine Worte fremd und klanglos fielen
wie blasse Mandelblüten· leicht und leuchtend·
zum Fluß· aus dessen schwankem Grunde spiegelnd
die hellen Wiesen lockten und der Himmel

und allen Lebens traumhaft Bild· indes
vom flirrenden Geäst durchsungner Kronen
der Abend in Rubinenfeuern sprühend
sich golden in die lauen Wolken schwang.

Und deine Worte sanken mit dem Rauschen
erglühter Wasser und dem süßen Takt
tropfender Ruder fremd und schwer zusammen
in eine dunkle Weise· hingeschleift
vom matten Licht der Dämmerung· die schon feucht
die Wiesen überrann· ein Kinderlied
aus Spiel und Traum gefügt· das weich wie Flaum
blaßroter Wölkchen durch den bebenden Glanz
der Wasser ging und still im Abend losch.

SONNWENDABEND

Die Sträucher ducken fiebernd sich zusammen
im Rieseln brauner Schleier und im Schwanken
nachtbleicher Falter um erglühte Ranken.
Nun schüren wir das falbe Laub zu Flammen

und feiern wiegend in verlornen Tänzen
und Liedern· die im lauen Duft verfluten·
den flüchtigen Rausch der sommerlichen Gluten·
und Mädchen weich das Haar genetzt mit Kränzen

und strahlend bleich im schwebenden Gefunkel
streun brennend dunklen Mohn und blasse Nelken.
Und bebend fühlen wir den Abend welken.
Und wilder glühn die Feuer in das Dunkel.

Und strahlend unter goldnem Baldachin
um starre Wipfel funkelnd hingebreitet
und Kronen tragend gehn wir hin·
und flüsternd gleitet
dein süßer Tritt gedämpft im bunten Laub.
Aus wilden schwanken lachenden Girlanden
rieselt's wie goldner Staub
und webt sich fließend ein in den Gewanden
und heftet wie Juwelen schwer
sich dir ins Haar und jagt vom Licht gehetzt
in grellen Wirbeln vor uns her
und sinkt aufstiebend in das wirre Meer
kräuselnder Blätter· die vom Abendduft genetzt
wie goldgewirkte Teppiche sich spannen . .

Nun lischt im fernsten Feld der letzte Laut.
Vom Feuer leis umglüht ragen die Tannen.
Ein feiner dünner Nebel staut
und schlingt sich bäumend um zermürbte Reiser·
und irgendwo zerfällt ein irres Rufen.

Und deiner Schleppe Goldsaum knistert leiser·
und atmend steigen wir auf steilen Stufen.
Weit wächst das Land· von Schatten feucht umballt.
Drohend aus Nebeln reckt sich Baum an Baum.
Und schwarz umfängt uns schon der große Wald.
Und dunkel trägt uns schon der große Traum.

Träume der blassen und umglühten Stunden
sinkt wieder ihr in lindem Abendwehn
aus goldgenetzter Wolken dunklem Schoß
wie Sommerregen duftend auf mein Land?

Ihr locktet früh das Kind zu Zaubergärten·
verwunschnen Schlössern· stillen grünen Seen·
und brauner Wurzel quoll aus trübem Schacht
gehöhlter Felsen unermeßnes Gold.

Dann gingt ihr hin· und euer leichtes Bild
zerfloß und zitterte nur traumhaft fern·
wie leuchtend durch die Nächte warmer Schein
in dämmerweichen Sommerlüften hängt.

Nun tönt mir eure Stimme süß vertraut
wie einem Kind· das sich im Wald verlor·
der Glocken Läuten still vom Abendwind
durch welken Glanz der Tale hingeweht.

VOR SONNENAUFGANG

Die frühen Stunden· wenn die Purpurnebel
der vollen Sternennächte weich verströmen·
hinsickern in den goldig matten Schein·
der wie ein Meer aufflutet .. rings die Schatten
der Häuser wachsen riesig wie Gespenster
ins graue Licht· und alles liegt und lauscht
und zittert. Und die Brunnen rauschen so.
Frühvögel steigen schrill von feuchten Hecken

ins flaumige Gewölk. Und in den Ästen
raschelt der Wind und traumhaft liegt das Land
und wie erstarrt· indes der halbe Mond
aus mattem Reigen morgenblasser Sterne
wie eine Fackel durch die Nebel dampft..

Die großen Stunden· wenn die Sehnsucht mir
die vollen Schalen bunter Träume leicht
ausgießt wie einer Gold- und Perlenschmuck
hinschüttet· und ich nur die zitternden Hände
im großen Hort verwühle und den Glanz·
den ungeheuren Glanz mit heißen Augen
einschlürfe wie in jäher Trunkenheit..
und weiß: Was da vor mir im blassen Licht
der Frühe seltsam schillert· ist ein Schatz·
ein ganzes Leben voller dunkler Wunder
glühend wie Sonne· lösend wie die Nacht
und schwer und bebend wie die frühen Stunden
so zwischen Nacht und Dämmer· Tag und Traum.

VOM GRAL

Nun schreiten wir in Abends leisem Leuchten
den Wiesenhang von Blumengold umschüttet
den Schatten zu· die von erloschnen Hügeln
hinsinken über das entflammte Tal.

Uns ward die Mär von fernen Tempels Zinnen:
Gold sind die Türme· silbern strahlt das Tor·
weiß schimmern seine Alabastersäulen
aus schwarzem Lorbeer vor und Rosenbüschen.
Im Glühen und Verrieseln dunkler Dolden

bebt zag der Schritt durch die verwunschnen Beete·
der Stufen Glanz von rotem Licht umflattert·
wo tief in klingender Gewölbe Schauern
von Purpurnacht der Decken überströmt
auf runder Schale schläft der heilige Kelch.

Schon tropft das Dunkel über uns wie Tau.
Wann rinnt es golden durch umflorte Wipfel?
Wann lockt durch schwüle Stille süßer Ton?

EINEM MÄDCHEN

Du· über deren Lippen leis in linden
Frühsommernächten trunkne Worte schweben:
Nun will ich deinen jungen Leib umwinden
und deiner Seele süße Last entbinden
und aller Träume wundervolles Weben

in Märchenaugen rätselhaft gespiegelt·
wie Lilien sich zu dunklen Wassern neigen —
Schon fühl ich schwankend in gelöstem Reigen
aus Purpurschächten zauberkühn entriegelt
ein Fremdes· Ahnungsvolles wirkend steigen —

Schon trägt vom jungen Morgenwind gezogen
das goldne Schiff uns auf geklärten Wellen
zu neuem Meer. Schon sehen wir im hellen
Dunstflor der Fernen weiß vom Gischt umflogen
die blauen Inselkuppen ladend schwellen

gestreift von früher Sonne scheuem Schein
in warmem Kranz die sanften grünen Buchten —

Schon steigen wir durch Tal und feuchte Schluchten
und schauen strahlend über schwarzem Hain
die Wundergärten· die wir sehnend suchten —

und betten uns in goldne Blüten ein.

DER GELBE MOND
Nach Henri de Régnier

Der lange Tag erlosch im gelben Leuchten
des Monds· der weich sich zwischen Pappeln hebt·
indes der Hauch des Weihers· der im feuchten
Schilfröhricht schläft· duftend im Dämmer schwebt.

Ahnten wir wohl· als wir im Sonnenbrand
auf heißem Feld und scharfen Stoppeln schritten·
als unsrer Füße Spur im dürren Sand
sich purpurn malte wie von blutigen Tritten·

ahnten wir· als der Liebe Flammen rot
in unsern gramzerwühlten Herzen glühten·
ahnten wir· als die heiße Glut verloht·
daß ihre Asche unsern Abend sollt' behüten

und daß der herbe Tag sterbend in Duft gehüllt
vom Hauch des Weihers· der im feuchten
Schilfröhricht schläft· hinlösche in das gelbe Leuchten
des Monds· der zwischen Pappeln steigt
    und still sich füllt?

Der funkelnden Säle· goldig flimmernden Schächte
und Pfeiler und Wände mit rieselnden Steinen behängt
ward ich nun müde. Und der fiebernden Nächte
in klingenden Grotten von lauen Lichten getränkt.

Zu lange lauscht ich in den smaragdenen Grüften
schwebenden Schatten· sickernder Tropfen Fall —
Zu lange lag ich umschwankt von betörenden Düften·
lüstern gewiegt von schläfernder Geigen Schwall.

Vom Söller· den die eisernen Zinnen hüten·
sah ich hinab aus dämmrigem Traum erwacht:
Glitzernd brannten die Wiesen· die Wasser glühten
silbern durch die schwellende Sommernacht.

Süßer als aus Rubin und Demant die Hallen
wiegt mich der funkelnde Himmel· das dampfende Ried —
Durch die taumelnden Tannen will ich wallen·
weinend lauschen der kleinen Amseln Lied.

Praeludien
Bilder und Gestalten (Auswahl)

SPIEL IM DÄMMER
René Schickele in alter Treue

Schon sinkt ein schlaffes Licht durch die Rotunde
voll ins Gemach und schwebt um die verblaßten
gestickten Bilde· und im flimmernden Grunde
beben· rauschen wie Flut die glimmenden Tasten.

Zu weichem Gleiten· lächelndem Verschlingen
enttauchen Schatten in umflortem Tanz:
Gekränzter Kinder schwaches Frühlingssingen
in Wellen hingespült vom scheuen Glanz.

Und dunkler flutend: Schwüle Sommernächte..
In goldnen Gärten weißer Blüten Fall.
Fiebernde Hände wühlen im Geflechte
traumdunkler Haare.. fern.. die Nachtigall.

Und brennender im dämmerschweren Schweigen
wirbeln die Tasten durch den blassen Raum.
Und aller Sehnsucht dunkle Wasser steigen·
und alle süßen Quellen· Traum um Traum.

Erloschner Bilder tief gebeugte Garben·
trunkner Gesichte süß vergilbte Pracht·
ein Hauch von Veilchen· die im Frührot starben·
dämmernd umströmt vom Glanz der lauen Nacht.

Der Sommermittag lastet auf den weißen
Terrassen und den schlanken Marmortreppen·
die Gitter und die goldnen Kuppeln gleißen·
leis knirscht der Kies. Vom müden Garten schleppen

sich Rosendüfte her· wo längs der Hecken
der schlaffe Wind entschlief in roten Matten·
und geisternd strahlen zwischen Laubverstecken
die Götterbilder über laue Schatten.

Die Efeulauben flimmern. Schwäne wiegen
und spiegeln sich in grundlos grünen Weihern·
und große fremde Sonnenfalter fliegen
traumhaft und schillernd zwischen Düfteschleiern.

SCHLOSS IM HERBST
Herbert z. e.

Durch düstre Turmkronen· wo vom Gemäuer
Sand hinstiebt und große schwarze Vögel
gespenstisch rauschend durch morsche Luken flattern·
läuft der Sturm in Nächten· wenn der rote Vollmond
funkelnd zwischen grauen Wolken liegt·
stöhnt und läuft durch weite öde Säle·
wo aus verwitterten Wänden dunkle Bilder·
trüb herschimmern in vergilbten goldnen Rahmen·
über dämmrig schauernde lange Korridore·
bleiche Gänge· steile Stufen
in den Park· der wie smaragdene Brandung
an die Mauern drängt purpurumraschelt

vom Prunkgewand des Herbstes· und der rote Mond
webt seltsam um das glühe Laub der Eschen und
der Schlinggewächse· die die alten tiefen Brunnen
umsponnen halten· deren Rauschen
lange starb in einer schwülen Sommernacht.

IM TREIBHAUS

Gefleckte Moose· bunte Flechten schwanken
um hoher Palmen fächerstarre Fahnen·
und zwischen glatten Taxusstauden ranken
sich bleich und lüstern zitternde Lianen.

Gleich seltnen Faltern schaukeln Orchideen·
und krause Farren ringeln ihr Gefieder·
glitzernd von überwachsnen Wänden wehn
in Flocken wilde Blütenbüschel nieder.

Und kranke Triebe züngeln auf und leuchten
aus jäh gespaltner Kelche wirrem Meer·
und langsam trägt die laue Luft den feuchten
traumschlaffen Duft der Palmen drüberher.

Und schattenhaft beglänzt im weichen
gedämpften Feuer strahlt der Raum·
und ahnend dämmernd Bild und Zeichen
für seltne Wollust· frevlen Traum.

Der Abend dampft in den gefüllten Schalen
und schwillt aus Glocken blauumkränzter Weiten·
die Brunnen glühn wie Ketten von Opalen.

Aus strahlend offnen Toren lächelnd schreiten
in langen Zügen blasse ferne Frauen:
die schlanken Krüge lässig wiegend gleiten

sie in den warmen Sommerglanz der Auen
und schwimmen hin im Duft verlorner Lieder ..
Und aus dem süß gewellten Haar der grauen

Zypressen rieseln schon die Schatten nieder.

DER HARFENSPIELER

Die morsche Harfe blitzt auf seinen Knien·
die blassen Hände lösen von den Saiten
verglühtem Golde welke Melodien·
die fremd und schwer wie Perlenketten gleiten·

indes sein Blick traumvoll und halb erhellt
durch aufgeworfner Decken Samtgehänge
hintaumelt über mondberonnen Feld:
Daß er sich mit den zarten Wolken schwänge·

die lind die Nacht zu goldnen Inseln trägt·
verzaubert glitte auf beglänzten Flügeln
zum Meer· das fern an weiße Küsten schlägt·
und süßem Strom und blassen Rebenhügeln.

Georges Ritleng herzlichst gew.

Dann glitt in leisem Schmuck geblümter Wiesen
der Frühling übers Land· rieselnd von Sonne
und schwer vom Sehnen früher Sternennächte.

Ein Abend kam· gehüllt in weiches Licht
beperlter Büsche. Matter Frühlingsregen
war sanft verronnen in den braunen Dämmer·
der hinter den Zypressenstämmen aufglomm.
Ich stand an dem Magnolienstrauch und sog
den starken Duft und schmiegte meine Lippen
tief in den warmen feuchten Flaum der Blüten.
Er kam von hinten. Faßte mich am Arm. Ich schrak
zusammen. Doch er war so schön·
wie er so dastand mit den hellen Augen
und ganz bestrahlt von Lust und Glanz der Blüten.

Wir gingen durch die leise laue Nacht.
Und wie der fernen Brunnen Silberton
fast nur aufbebte wie ein dunkler Zweig
vom liebetrunknen Nachtwind angerührt·
und hie und da ein schwacher Laut der Lust
die Nacht durchwehte· starben unsre Worte
und schweigend gingen wir und lauschten nur
gedämpftem Knirschen der zerknickten Halme·
und wie vom buschigen Geäst gescheucht
ein großer Vogel rauschend uns umstrich·
und gingen hin und fanden nicht ein Wort
zu sagen· was in dieser Nacht erwuchs
und heller strahlte als der heiße Glanz·
der von erglühten Rosenbüschen fließt.

Das ist nun alles lang vorbei. Und war
so süß doch. Wenn von dunklem Sims ich leicht
mich niederschwang und atmend stand und dann
so hinlief und die warme Nachtluft mich
zitternd umspülte· an gefüllten Beeten
vorbei und goldnen Brunnen· durch den Glanz
der hellen Wiese zum Granatbaum· der
mit Purpurarmen uns umgitterte —
Leuchtend wie schwere goldne Ampeln hingen
die Äpfel. Und in seiner Krone sangen
zwei Nachtigallen. Leise zog ihr Lied
durch fernster Gärten atemloses Dunkel
und wie verzaubert. Wenn ich so allein
unter den Ästen stand· dann sickerte
wie Blütentau der Wohllaut auf mich nieder
und kürzte mir die langen heißen Stunden·
denn manchmal kam er spät. Und durch die Büsche
wehte ein fremder Schauer· der mich schreckte.

Und einmal als die Sommernacht wie Gold
zwischen den Zweigen hing und alle Blumen
wie Flammen in den roten Vollmond glühten·
hob er mich auf und trug mich hin· ich schlang
den Arm um seinen Nacken wie im Rausch·
den schmalen Heckenweg· der wie aus Silber
gesponnen glitzerte· die kühlen Stufen
hinab zum Brunnenbecken. Seltsam blitzte
die blanke Flut und dunkle Zweige hingen
wie ein Geriesel weicher wirrer Strähnen
zum feuchten Spiegel. Schauernd überrannen
die blassen Wellen meine Brüste und
das selige Zittern seiner heißen Hände.
Und plötzlich riß er mich empor. Wild jauchzend

trug er mich fort. Taumelnd vor Schreck und Glück
lag ich in seinem Arm. Die kühlen Tropfen
funkelten noch wie flimmerndes Geschmeide
um meinen Leib. Und zwischen Rosen
trug er mich bebend hin· und zwischen Rosen
ertrank ich und versank im Duft der Nacht. —

SEMIRAMIS

An Hals und Knöcheln klirren güldne Spangen·
die Spiegel funkeln grell vom Glanz umflossen.
Auf Teppichen· drin Ambraduft gefangen·

liegt ihres Leibes weißer Kelch ergossen
von dunklem Haar in losem Kranz umschlungen·
die Augen wie zu schwerem Schlaf geschlossen

träumen in leichtem Rausch von eines jungen
goldblonden Griechenknaben weichen Brüsten.
Fern ist das Lied der Sklavinnen verklungen·

die Lippen zucken schlaff· als ob sie küßten
und draußen· wo die finstern Wachen kreisen
lehnt bleich der Henker an den Marmorbüsten.

Rot tanzt die Sonne auf dem nackten Eisen.

ERFÜLLUNG

Im Dämmer glommen die gemalten Wände.
Ich sah dich an· vom großen Schweigen trunken:
Und bebend fühlt ich deine weichen Hände·
und stammelnd sind wir uns ans Herz gesunken.

Wie Kinder· die in weißen Frühlingskleidern
hinlaufen durch die knospenhellen Hecken
und zwischen Büscheln lichtumschäumter Weiden
und braunen Halmen spielend sich verstecken·

in Baches Silber wundernd sich beschauen
und jubelnd folgen bunter Falter Glänzen
und Knospen brechen von besternten Auen
und singend sich mit Blütenkronen kränzen·

bis glühend sie· in seligem Ermatten·
zur Quelle steigen· leichten Spiels vergessen·
und zitternd unter schwanker Birken Schatten
die zarten Lippen ineinander pressen.

MARSYAS

Nach Henri de Régniers »Le Sang de Marsyas«

Marsyas sang.
Erst war es nur ein flüchtig Lied·
wie Windeshauch· der weich das Laub durchzieht·
wie Tropfenrieseln·
wie ein Bach· der unter Kräutern rinnt·
wie Regen dann und Wolkenbruch und Wind·
dann wie der Sturm· dann wie das wilde Meer —

dann Schweigen . . heller wieder schwebt daher
zu unserm Ohr zitternd der Flöte Klang
wie Fichtensäuseln· wie ein Immensang . .
Und wie er träumend in den Abend bläst sein Lied
erlischt die Sonne hinter Moor und Ried.
Starr stand Apollo· und das Licht zerging
um seinen Leib· und düstrer Schatten hing
sich um ihn tief. Und plötzlich schien er ganz
        von Nacht umronnen.
Doch Marsyas vom letzten Glast umsponnen
der Sonne· die sein Antlitz purpurn überfloß
und heiß sein Vließ mit Flammen übergoß·
bläst immer noch· berauscht vom Glanz der Stunde·
das Flötenrohr erglüht wie gleißend Gold
        an seinem Munde.
Und alles lauschte auf des Satyrs trunknes Lied·
und alle· offnen Mundes· harrten auf den Spott
Apolls· hingen an seinen Zügen. Doch der Gott
stand starr wie Erz· schweigend· regte kein Glied.

Freundinnen
Ein Spiel

für Hugo von Hofmannsthal

Toutes deux regardaient s'enfuir les hirondelles:
L'une pâle aux cheveux de jais, et l'autre blonde
Et rose, et leur peignoirs légers de vieille blonde
Vaguement serpentaient, nuages, autour d'elles.

Et toutes deux, avec des langueurs d'asphodèles,
Tandis qu'au ciel montait la lune molle et ronde
Savouraient à longs traits l'émotion profonde
Du soir et le bonheur triste des cœurs fidèles.

Telles, leur bras pressant, moites, leurs tailles souples
Couple étrange qui prend pitié des autres couples,
Telles, sur le balcon, rêvaient les jeunes femmes.

Derrière elles, au fond du retrait riche et sombre,
Emphatique comme un trône de mélodrame
Et plein d'odeurs, le Lit, défait, s'ouvrait dans l'ombre.

Paul Verlaine

(»Sur le balcon« aus dem Zyklus »Parallèlement / Les amies«)

Beide sahen sie zu, wie die Schwalben flohen: / Die eine blaß, mit jettschwarzem Haar, die andere blond / und rosig, und ihre leichten Umhänge aus alter Spitze / bauschten sich unbestimmt um sie wie Wolken. /

Und beide kosteten, mit dem Schmachten von Asphodelen, / während am Himmel der weiche und runde Mond aufging, / in langen Zügen die tiefe Bewegtheit / des Abends und die süße Wehmut des treuen Herzens. /

So, während ihre schlaffen Arme ihre biegsamen Taillen preßten, / ungewöhnliches Paar, das die anderen Paare bemitleidet, / so träumten auf dem Balkon die jungen Frauen. /

Hinter ihnen im Grund des reichen düsteren Raums, /emphatisch wie ein Thron im Melodrama / und voller Düfte, bot sich im Schatten das aufgeschlagene Bett. /

Ein großes Zimmer· reich ausgestattet. Von den Wänden sehen alte dunkle Gemälde von Männern und Frauen in altmodischer italienischer Tracht. Im dämmrigen Hintergrunde ein großes strahlend weißes Bett. Etwa in der Mitte· von der Decke herab· eine achteckige rote Ampel aus geschliffenem Glas. Rechts führen große Glasfenster· die weit geöffnet sind· auf eine efeuumwachsene Veranda· von der Stufen hinab in den Park zu denken sind. Vom Park her flutet ununterbrochen ein breiter milchweißer Strahl glitzernden Mondlichts ins Gemach. Auf einem mit weißen Fellen überworfenen Ruhebett im Vordergrunde· gegen die Veranda zu· liegt lässig hingegossen SILVIA. Sie ist im losen Nachtgewand· das sie in licht rosenfarbnen Tönen umflutet. Ihr langes goldblondes Haar rieselt in dichten Strähnen über ihr Gewand. Sie liegt regungslos und scheint mit weitgeöffneten Augen ins Leere zu schauen. Es ist kurz vor Mitternacht. Vom Park her klingen zuweilen gedämpft die süßen Stimmen der Nacht.

Kurz nach Beginn der Szene gleitet BIANCA leise von der Tür links auf Silvia zu. Sie ist gehüllt in ein langes schneeweißes Nachtgewand· über das ihr dunkelbraunes Haar fällt.

Silvia
(mit der fast ausdruckslosen Sprache
einer Nachtwandlerin)
Und da die Nacht aus goldnen Wolken sank·
und grün der Mond sich hob von dunklen Bäumen·
fuhr jäh sie auf aus dumpfer Rast und Träumen —
und ging· indes ihr Auge gierig trank
den süßen Duft des Mondes· in das Dunkel
und ließ der Kindheit Spiel und Glück und Lieder
und ging..
        bis fern des Schlosses Lichtgefunkel
erlosch: da warf sie tief ins Gras sich nieder
und lauschte zitternd· wie mit seliger Macht
die Blätter rauschten· und die Quellen sangen·
und brünstig schluchzend fern in dunklen Hainen
auf Marmorbecken stille Brunnen sprangen·
und ihren Leib durchschauerte ein Weinen..
und eine Sehnsucht war in ihr erwacht..
Und tiefer glitt von Zweig zu Zweig die Nacht.
Des Laubes Flüstern klang im Nachtwind kaum.
Vom Beet her stieg das Atmen der Violen:
Das war wie Liebesstammeln — heiß· verstohlen·
und hüllte alles tief in schwere Pracht
und müder Sehnsucht dämmrig süßen Traum..

Bianca
(die während der letzten Worte ganz nahe an Silvia heran-
getreten ist und ihr leise mit der Hand übers Haar streicht)
Ich hörte dunkler Geigen wehen Klang
in späten Nächten· wenn auf allen Wegen
die Blätter starben in versprühtem Regen —
wie leises Weinen bebte tief ihr Sang..

Silvia
Bianca· du? Was ist's? Kam schon der Tag?

Bianca

Du träumst· Geliebte! Purpurrauschend weht
der schwüle Hauch der Nacht von Beet zu Beet.

Silvia

Wie schwer und süß der leise Sommerwind
den Duft des Gartens in das Zimmer spült:
Ein dunkles Sehnen hat mich wachgewühlt —
als ob ein groß Geschick die Nacht mir brächte·
ein zielloos fremdes heißes dunkles Sehnen —

Bianca

Du kennst noch nicht den Zauber unsrer Nächte:
Sie sind wie Lieder lockender Sirenen·
duftend wie Wein aus schweren Südlandsreben·
der purpurn schäumt in blassen Goldpokalen·
wie jähe Flammen in kristallnen Schalen·
die an Altären rot im Nachtwind beben.

Silvia

Ich lag betäubt· die Lider halb geschlossen.
Des Mondes weiße warme Wellen flossen
voll ins Gemach· das düftetrunken schlief·
vom roten Ampellicht seltsam umgossen·
und aus des Parkes Schattengründen tief
stieg ein Gewirr von heißen scheuen Stimmen·
das weich in schweren Rhythmen mich umspann.
Huschende Lichter sah ich schwebend glimmen
und klingend löschen. Jäh durchrann
ein seltsam Feuer mich· als ob im Wiegen
der dunklen Stimmen· die im Nachtwind glitten·
aus morschen Grüften weiße Leiber stiegen·
und tönend· leuchtend füllte das Gemach
sich rings mit leisen unsichtbaren Tritten·
daraus es wie ein Locken zu mir sprach —
Da riß mich's auf: Und bebend trat ich nah

und sah im Wind des roten Laubes Spiel
und atmete den Duft der Nacht. Und sah
die Beete rings von silberglänzgem Schaum
betaut. Und schauerte und schluchzte auf und fiel.
Und meine Seele sank in tiefen Traum.

Bianca
(hat Silvia leise, mit den Händen stützend,
gegen die Veranda geführt)
Sieh· wie aus flaumig-feuchtem Glanz die schlanken
Zypressenreihn gleich blauen Schemen tauchen
mit blassen Stämmen· licht wie Frühlingsranken·
durchsichtig zart· als wollten sie im matten
nebligen Duft sich lösen und verrauchen —

Silvia
Dämmernde Stimmen steigen aus den Schatten.
Ist es die Nacht· die tief im Traum erbebt·
ist es ein Tanz· der fern auf Wiesen schwebt·
von weißen Nymphen und behaarten Faunen?

Bianca
Das ist der alten Marmorbrunnen Raunen·
das seltsam hinter dunklen Büschen webt.
Es rinnt ein Hauch von wilden grenzenlosen
Sehnsüchten durch den Einklang dieser Lieder
und ringsum strömt und glüht der weiße Flieder
und mischt betäubend sich dem Duft der Rosen.
Wenn weit die grauen Stämme dampfend gluten
wie rotgeschweißtes Erz· scharlachumronnen·
und alle Brunnen· funkenübersponnen
in heißen Güssen schluchzend sich verbluten —
in schwülen Nächten· wenn der Mond den feuchten
flaumweichen Leib schauernd im Wasser kühlt·
und bunt vom Wellenflirren aufgespült
Millionen Tropfen perlenschillernd leuchten —

dann tönt so wund und weh ihr dunkles Rauschen
wie Regen· der auf welke Blätter rinnt·
wie eine Seele· die im Finstern sinnt..
dann könnt ich Stunden ihrem Singen lauschen.

Silvia

Wie seltsam! Will des Mondes Dampf mich trügen?
Durch schwarzer Büsche laubverrankte Ritzen
züngelt ein Glanz· glimmert ein fahles Blitzen·
aus Nacht und Duft schält leuchtend sich ein Leib —
ein weißes nacktes wundervolles Weib —
grün liegt das Mondlicht auf den starren Zügen..

Bianca

Ein stiller Gruß aus uralt goldnen Tagen:
Ein Venusbild im Chor dunkler Zypressen·
efeuumwuchert· morsch· vom Tau zerfressen·
zerwühlt von Rissen· die der Blitz geschlagen.

Silvia

Wie weiß die Mondesstreifen sie umsäumen!
Und in der Nelkendüfte nacktem Schweben
durchfröstelt ihren Leib ein brünstig Beben:
Die Sommernacht küßt sie aus langen Träumen.
Sieh· wie im blassen Licht ihr Auge blinkt·
wie ihre Arme weich und warm sich biegen·
und wie die Lippen leis ein Lächeln wiegen·
und wie sie grüßend nickt und winkt·
und wie der Mund sich zitternd öffnet — spricht —
wie Glockenläuten — siehst du's· hörst du's nicht?

Bianca

Dich trügt die Ferne und des Mondes Flirren.

Silvia

Und braust dir nicht durchs Blut dies heiße Schwirren·
und fühlst du tausend Flammen nicht sich schaukeln
und Rosenduft bacchantisch dich umgaukeln

und liebeskranker Flöten tolles Girren?
Ein Wunder! Sieh: durch steinern starre Glieder
stürmt eine Röte. Sie erglühen· schwellen
wie Firnen überströmt von Morgenwellen.
Blau blitzt die Luft. Der alte Marmor zittert
in leisem Läuten unter seidnen Tritten·
die Fernen funkeln sommerglanzumwittert.
Sie ist's. Sie fährt zum Glühen trunkner Geigen
durch nackter Paare laubumstrickten Reigen.
Von purpurüberblühten Rosenhängen
perlt es wie Duft von brausenden Gesängen.
Sie ist's! Du bist's! Du selber· selber bist's!
Um deine weiße Stirne funkelnd flicht
sich wirr ein Kranz tauiger Rosenblüten
als Diadem. Heiß aus den Augen bricht
dir ein Geleucht. Und deine Lippen hüten
ein Königinnenlächeln. Unter deinen Füßen
scheint rings der Estrich von Musik zu schwellen
im feuchten Duft des Mondes· der mit hellen
Glanzlichtern dich umgießt. Und deine süßen
flaumweichen Glieder beben noch von Traum
und Dämmer. Heilige! Königin!
Frau Venus! Selige Göttin! Nimm mich hin!
(Sie wirft sich wie ohnmächtig in Biancas Arme)

Bianca

Du Süße! wie du flammst und bebst und glühst
und taumelst wie von duftendem Weine trunken.
Der Stunde Rausch ist über dich gesunken:
Das hat dies Glänzen in dein Aug gelegt·
dies durstige Glänzen roter Sommerwiesen
vor Regenschauern. Wie dein Mund sich regt·
als wollt im Liebesstammeln er zerfließen.
Geliebte! In den Haaren glimmt ein Leuchten

dir weich wie Irrlichtnebel über feuchten
mondfahlen Teichen. Deine dunklen Lider
haben den Schein von wilden Rosenranken·
die rot um weiße Marmorbilder schwanken·
und durch die schlanken heißen jungen Glieder
flutet ein Beben wie in goldnen Strängen
von Wetterharfen· die vom Glanz gestreichelt
der Sommernacht· in dämmernden Gesängen
aufschauernd weinen· silberlichtumschmeichelt . .

Silvia

Sprich weiter· weiter! Deine Worte fließen
von Glanz und Duft wie köstlich starke Salben.
Wie rote Rosen sind sie· die im falben
Lichtschein des Tages dämmerselig schliefen
und wachend ihres Blutes Glanz versprühen·
wie Falter sind sie· die die Nacht umglühen
im weichen Schmelz der Flügel und im Wiegen
des Nachtwinds bunt wie Blütenflocken fliegen . .
O lauschen will ich der Musik· die rings aus dir
herniederströmt aus Haar und Mund und Augen
und will ihr perlend Gold tief in mich saugen
wie ein Verdurstender. Denn sieh: Ich war allein —
so einsam· daß mich meiner Stimme Klang
erschauern machte· wenn's aus schwerem Schlaf mich riß.
Und all mein Wandel war nur Finsternis
und Traum der Nächte· heiß von wildem Drang
nach Leben. Und nun bin ich jäh erwacht:
Nun strahlt die Sonne· und das Leben lacht!

Bianca

O still — laß tief mich durch die weichen Linnen·
die deine jungen Brüste überrinnen
wie laue Flut· dampfend von warmem Leben·
den Duft des Fleisches atmen und sein zuckend Beben

glühend betasten. Und das heiße dunkle Blut·
das in Akkorden stürmisch junger Kraft
durch diese Adern wittert· gleich dem Saft·
der schäumend klar in Frühlingsbirken ruht —
und diesen Leib· so voll und stark und schlank
und weich· der sich nach Liebestaumeln sehnt
in wilden Nächten und sich schauernd dehnt
im Rausch von Wonnen· die ein Träumen trank —

S i l v i a

Genug —

B i a n c a

Der blonden Haare wild Gerank
fließt von den Schultern dir wie ein Geschmeide·
mit dem du deinen nackten Leib geschmückt
zur Brautnacht. Durch den feuchten Glanz der Seide·
die wie ein Kranz von Rosen leuchtet· zückt
die blanke kühle Haut in mattem Glanz —

S i l v i a

Genug — du tötest mich —

B i a n c a

O laß mich ganz
den Leib mit meiner Arme Glut umspinnen
und diese Lippen tief wie scharfen Stahl
in deine Glieder tauchen. Und das blutige Mal
mit meinem Leibe kühlen. Bis der Quell versiegt·
und Morgenrot auf matten Gliedern liegt.

S i l v i a

Genug! Ich sterbe! Ich vergehe! Sieh —
wie sich ein Blütenkelch fröstelnd zur Sonne streckt·
die ihn in heißer Küsse Rausch glühend erweckt
und glühend tötet· wie ein Falter· der
das süße Gift der Blütendolden trinkt·
bis taumelnd er im schweren Duft versinkt·

37

wie die Bacchantin· die zu roter Fackeln Licht
aufglühend tanzt und tanzt· bis zuckend sie zusammenbricht –
stürzt meine Jugend jauchzend dir entgegen·
mein glühend Blut in funkelnd heißen Güssen:
Töte mich· Wilde! Töte mich mit deinen Küssen!

Bianca
(heiß und heimlich)

O komm! Das Leben bräutlich glühend winkt
uns zu und lockt. Die Fesseln sind zerrissen·
und aus dem rötlich matten Dämmer blinkt
wie Gold das Bett mit gluterwühlten Kissen.
Hörst du des Windes Wiegen in den Zweigen
und brünstig dunkle Stimmen schwüler Nacht
und Geigenklang? Das ist der Hochzeitsreigen·
der uns mit Spiel und Singen heimgebracht.
Fühlst du das Leuchten· das am Estrich schaukelt
von spätem Ampelglühen· und den Glanz
des weißen Monds? Das ist der Fackeltanz·
der unsre Liebesnacht flatternd umgaukelt.
Komm· Liebste! Komm! Auf meinen Armen will
ich zitternd dich in süßes Dunkel tragen·
und um die Schauer junger Glut soll still
und weich die Nacht die schweren Schleier schlagen.

VERSTREUTE GEDICHTE
1910—1914

FRÜHLINGSNACHT

Die Kirschbaumblüten im lichtdurchschwemmten Garten
Sind wie Kandelaber von Millionen Kerzen,
Die das Vollmondfeuer angesteckt. Die zarten Kissen
Grüngesprengten Rasens zwischen Krokusbeeten
Sind besteckt mit weißen Perlensäumen,
Und die kühle spiegelhelle Luft
Ist ein feiner Schleier von gewebtem Silber,
Den die Lenznacht heimlich glühend um die
Weiße warme Nacktheit ihrer Glieder hängt.

FRÜHE DÄMMERUNG

Die letzten müden Liebesworte irren
Wie Abendfalter, die mit schweren Flügen
In Dämmerung und Träumen sich verwirren.

Und trunken niedersinkend ist's, als trügen
Ein zartes Leuchten sie um Deine Wangen
Und Sänftigung zu Deinen Atemzügen.

Ich seh' das Glück an Deinen Lippen hangen
Wie eine Blüte, warmer Nacht entsprungen —
Indes ich dumpf, in namenlosem Bangen,

Dem Gang der Stunden lausche, die verschlungen
Zu dunklen Ketten in das Leere gleiten,
Vom harten Glockenschlag der Nacht umklungen.

Ich hör im Takt ihr endlos gleiches Schreiten
Auf heißem Lager sinnlos aufgerichtet,
Hinhorchend in die nachtbeschwerten Weiten,

Die schon der erste Schein der Frühe lichtet.

UNTERGANG

Die kupferrote Sonne im Versinken
Hängt zwischen Höhlen scharf gezackter Zweige
In harter Glut der strahlenlosen Neige,
Die feuchte Luft scheint allen Glanz zu trinken.

Die grauen Wolken, aufgeschwellt von Regen,
Mit langen Schleppen, die am Boden schleifen,
Und lau umströmt von schwachen Lilastreifen,
Ergießen dünnes Licht auf allen Wegen.

Nur in der Bäume enggedrängten Gruppen,
Die steil wie Inseln aus den grünen Matten
Des Parkes steigen, lagern dichtre Schatten
Hinsinkend von den braunen Hügelkuppen.

GANG IM SCHNEE

Nun rieseln weiße Flocken unsre Schritte ein.
Der Weidenstrich läßt fröstelnd letzte Farben sinken,
Das Dunkel steigt vom Fluß, um den versprengte
    Lichter blinken,
Mit Schnee und bleicher Stille weht die Nacht herein.

Nun ist in samtnen Teppichen das Land verhüllt,
Und unsre Worte tasten auf und schwanken nieder
Wie junge Vögel mit verängstigtem Gefieder —
Die Ebene ist grenzenlos mit Dämmerung gefüllt.

Um graue Wolkenbündel blüht ein schwacher Schein,
Er leuchtet unserm Pfad in nachtverhängte Weite,
Dein Schritt ist wie ein fremder Traum an meiner Seite –
Nun rieseln weiße Flocken unsre Sehnsucht ein.

DÄMMERUNG IN DER STADT

Der Abend spricht mit lindem
    Schmeichelwort die Gassen
In Schlummer und der Süße
    alter Wiegenlieder,
Die Dämmerung hat breit
    mit hüllendem Gefieder
Ein Riesenvogel sich
    auf blaue Firste hingelassen.

Nun hat das Dunkel von den Fenstern
    allen Glanz gerissen,
Die eben noch beströmt
    wie veilchenfarbne Spiegel standen,
Die Häuser sind im Grau,
    durch das die ersten Lichter branden
Wie Rümpfe großer Schiffe,
    die im Meer die Nachtsignale hissen.

In späten Himmel tauchen Türme
    zart und ohne Schwere,

Die Ufer hütend,
    die im Schoß der kühlen Schatten schlafen,
Nun schwimmt die Nacht
    auf dunkel starrender Galeere
Mit schwarzem Segel
    lautlos in den lichtgepflügten Hafen.

SICHERUNG

Du meinst, daß Nacht und Frost die Glut verscheuchten,
Weil Flammen nicht mehr heiß in Dunkel schwellen —
Mich sättigt wunschlos das gestillte Leuchten,
In dessen Hut sich Weg und Ferne hellen.

Ich spüre, wie auf immer uns vereine
Der Glanz, den unvergessne Tage spenden,
Und trage still, wie in geweihtem Schreine,
Ihr Heiligstes in unbeschwerten Händen.

Ich weiß mich fahrlos, was mir auch begegnet,
Und nah, wie auch ins Ferne Schicksal ladet,
Ich fühle jedes Glück von Dir gesegnet
Und jede Schönheit nur durch Dich begnadet.

DAS ABENTEUER

Dort glimmt das Licht. Dies ist der Ort. Den Kahn
Knüpf ich im Dunkel an die schwarzen Bohlen.
Und hier ist Land. Wie unter mir der Grund
Aufknirscht, weht übers Wasser her noch kaum
Fernab der Klang von Stimmen, körperlos
In tiefe Luft gelöst. Die Stille drückt

Die Wangen fiebernd gegen mich. So sei's
Gewagt. Nur wenig Schritte: Mich umfängt
Die Schwelle. Türen tun sich auf. Mich faßt
Durchs Dunkel eine Hand, weicher als Glanz
Des weißen Flaums vom Fittich junger Vögel.
Und dann ist Dämmerung des blauen Zimmers,
Und Arme sind und Glieder ausgespannt,
Mich zu umschließen, mich zu decken
Und einzufangen wie in einem Netz
Gestickt aus Traum und Wunder dieser Nacht,
Und duftend Haar ist über mich gestreut
Wie aufgelöste Bündel wilder Blumen.

Was zaudr' ich noch? Die öde Frühe lehnt
Noch blutlos hinterm hohen Tor der Sterne,
Und mein ist diese Nacht — Ihr tiefstes Glück
Zieh ich wie einen Mantel um mich her.

Was zaudr' ich noch? Die kleine Lampe schwingt
Betörend ihre Strahlen durch das Finster
Und reißt auf hellen Leitern mich empor.
Was rührt mich plötzlich an? Ist das mein Blut,
Das hier so pocht? Wer naht? Vom schwarzen Wasser
Hebt sich ein Wind. Die Stufen schauern Kühle.
Ganz fern schwebt jetzt das Licht, in solcher Ferne
Wie eine hochgehobne Opferschale,
Die schwankend meines Schicksals Flamme trägt.

Was schaudert mir? Ein Fremdes faßt mich an.
Ich spüre eisig über meinem Haupt
Vergangenes und Ungeborenes
Mit großem Flügelschlag hinrauschen und
In einem dunkeln Sturz von fremder Flut
Ins Uferlose jäh mich fortgerissen.

Die dunkle Trauer,
    die um aller Dinge Stirnen todessüchtig wittert,
Hebt sachte deiner Flöte Klingen auf,
    das mittäglich im braunen Haideröhricht zittert.
Die Schwermut aller Blumen,
    aller Gräser, Steine, Schilfe, Bäume stummes Klagen
Saugt es in sich und will sie demutsvoll
    in blaue Sommerhimmel tragen.
Die Müdigkeit der Stunden,
    wenn der Tag durch gelbe Dämmernebel raucht,
Heimströmend alles Licht
    im mütterlichen Schoß der Nacht sich untertaucht,
Verlorne Wehmut kleiner Lieder, die ein Mädchen
    tanzend sich auf Sommerwiesen singt,
Glockengeläut, das heimwehrauschend
    über sonnenrote Abendhügel dringt,
Die große Traurigkeit des Meers, das sich
    an grauer Küsten Damm die Brust zerschlägt
Und auf gebeugtem Rücken endlos die Vergänglichkeit
    vom Sommer in den jungen Frühling trägt —
Sinkt in dein Spiel, schwermütig helle Blüte,
    die in dunkle Brunnen glitt . . .
Und alle stummen Dinge sprechen leise glühend
    ihrer Seelen wehste Litaneien mit.
Du aber lächelst, lächelst . . Deine Augen
    beugen sich vergessen, weltenweit entrückt
Über die Tiefen,
    draus dein Rohr die große Wunderblume pflückt.

EVOKATION

O Trieb zum Grenzenlosen,
  abendselige Stunde,
Aufblühend über den entleerten Wolkenhülsen,
  die in violetter Glut zersprangen,
Und Schaukeln gelber Bogenlampen,
  hoch im Bunde
Mit lauem Flimmer sommerliche Sterne.
  Wie ein Liebesgarten nackt und weit
Ist nun die Erde aufgetan .. oh, all die kleinen
  kupplerischen Lichter in der Runde ..
Und alle Himmel haben
  blaugemaschte Netze ausgehangen —
O wunderbarer Fischzug
  der Unendlichkeit!
Glück des Gefangenseins,
  sich selig, selig hinzugeben,
Am Kiel der Dämmerung hangend
  mastlos durch die Purpurhimmel schleifen,
Tief in den warmen Schatten
  ihres Fleisches sich verschmiegen,
Hinströmen, über sich den Himmel,
  weit, ganz weit das Leben,
Auf hohen Wellenkämmen treiben,
  nur sich wiegen, wiegen —
O Glück des Grenzenlosen,
  abendseliges Schweifen!

Farbe prallt in Farbe wie die Strahlen von Fontänen,
   die ihr Feuer ineinanderschießen,
Im Geflitter hochgerraffter Röcke
   und dem Bausch der bunten Sommerblusen.
Rings von allen Wänden, hundertfältig
Ausgeteilt, strömt Licht.
   Die Flammen, die sich zuckend in den Wirbel gießen,
Stehen, höher, eingesammelt,
   in den goldgefaßten Spiegeln, fremd und hinterhältig,
Wie erstarrt und Regung doch in grenzenlose Tiefen
   weiterleitend, Leben, abgelöst und fern
   und wieder eins und einig mit den Paaren,
Die im Bann der immer gleichen Melodien,
   engverschmiegt, mit losgelassnen Gliedern schreitend,
Durcheinanderquirlen: Frauen, die geschminkten
   Wangen rot behaucht, mit halb gelösten Haaren,
Taumelnd, nur die Augen ganz im Grund ein
   wenig matt, die in das Dunkel leerer Stunden laden,
Während ihre Körper sich im Takt
   unkeuscher Gesten ineinanderneigen,
Ernsthaft und voll Andacht:
   und sie tanzen, gläubig blickend, die Balladen
Müd gebrannter Herzen, lüstern und verspielt,
   und vom Geplärr der Geigen
Wie von einer zähen lauen Flut umschwemmt.
   Zuweilen kreischt ein Schrei.
   Ein Lachen gellt. Die Schwebe,
In der die Paare, unsichtbar gehalten,
   schaukeln, schwankt.
   Doch immer, wie in traumhaft irrem Schwung
Schnurrt der Rhythmus weiter

durch den überhitzten Saal ...
Daß nur kein Windzug jetzt
die roten Samtportieren hebe,
Hinter denen schon der Morgen wartet,
grau, hager, fahl ...
bereit, in kaltem Sprung,
Die Brüstung übergreifend, ins Parkett zu gleiten,
daß die heißgetanzten Reihen jählings stocken,
Traum und Tanz zerbricht,
Und während noch die Walzerweise
sinnlos leiernd weitertönt,
Tag einströmt und die dicke Luft von Schweiß,
Parfum und umgegossnem Wein zerreißt,
und durch das harte Licht,
Fernher rollend, ehern, stark und klar,
das Arbeitslied der großen Stadt
durch plötzlich aufgerissene Fenster dröhnt.

DIE DIRNE

Wie aus den Armen Gottes
glitt ich in den Arm der Welt:
Noch wars das Streichen seiner Hände,
das mir meine Brüste aufgeschwellt,
Und seiner Liebe Schwert,
das lustvoll sehrend meinen Leib durchstieß
Und das in Wollust weilend
sich im Dunkel meines Blutes niederließ,
Als schon mein Leib, den Vielen ausgeliefert,
sich auf armen Polstern streckte.
Und wenn ich unter Schauern mich vergrub,
war ers, dem sich mein Schoß entgegenreckte,

Und wenn mit rohem Wort
   die Welt mich überfiel,
Floß selige Marter
   und im Fernen leuchtete der Prüfung Ziel.
Und ekle Speise,
   die aus Graun und Schmach an mich erging,
War die geweihte Hostie,
   die mein Mund aus seiner Hand empfing,
Und jede Lust
   war tief im Blute seiner Wunden eingekühlt,
Und jedes Wehe
   vom Gefunkel seiner Liebe überspült,
Aus Kellern, Hafenkneipen, Dirnengassen,
   wo die Seele wie vom Leib verirrt
   dem Traum entgegenschlief,
Wuchs mailich schon die Stimme,
   die zu Hochzeit und zu Auferstehung rief.

BOTSCHAFT

Du sollst wieder fühlen,
   daß alle stark und jungen Kräfte dich umschweifen,
Daß nichts stille steht,
   daß Gold des Himmels um dich kreist
   und Sterne dich umwehn,
Daß Sonne und Abend niederfällt
   und Winde über blaue Meeressteppen gehn,
Du sollst durch Sturz und Bruch der Wolken
   wilder in die hellgestürmten Himmel greifen.

Meintest du,
   die sanften Hafenlichter könnten deine Segel halten,

Die sich blähen wie junge Brüste,
    ungebärdig drängend unter dünner Linnen Hut?
Horch, im Dunkel, geisterhafte Liebesstimme,
    strömt und lallt dein Blut —
Und du wolltest deine Hände müde zur Ergebung falten?

Fühle:
    Licht und Regen deines Traumes sind zergangen,
Welt ist aufgerissen,
    Abgrund zieht und Himmelsbläue loht,
Sturm ist los
    und weht dein Herz in schmelzendes Umfangen,
Bis es grenzenlos zusammensinkt
    im Schrei von Lust und Glück und Tod.

LEONCITA

Du warst nackte Eva im Paradies,
    blank, windumspielt und ohne Scham.
Du wuchsest mit den Früchten und Tieren.
    Der Morgen nahm
Dich aus dem Arm der Nacht,
    und Abend bettete dich weich
Zur mütterlichen Erde. Du warst wild und schön.
    Du warst den Tieren gleich.
Warst Rauschen grüner Wipfel.
    Warst Krume des Bodens, der dich trug.
Dein Schicksal klopfte mit dem Blut,
    das leicht und stark durch deine Adern schlug.

Aber dann kamen sie mit
   Netzen und Zangen
Und haben dich
   eingefangen.
Und wollten
   von ihren schlechten Säften
In dich verspritzen,
   dein Raubtierblut zu entkräften.
Du hast sie abgeschüttelt.
   Aber eine große Traurigkeit
Kam über dich und schwamm in deinen Blicken,
   die die Herrlichkeit
Noch hielten jener schweigend jungen Schöpfungslust.
   Du trugst
Die Ketten, die sie dir geschmiedet.
   Schlugst
Sie nicht zu Boden, da sie dich in ihre Zellen schlossen.
   Spiest ihnen nicht,
Da sie den Schacherpreis betasteten,
   ins schmatzende Gesicht.
Du kauertest vor deinem Weh
   und horchtest auf der Sterne Lauf ...
Aber immer noch stürzt dein Blut,
   wie heftige Strömung, ab und auf,
Und deine Augen, wie zwei ruhelose Tiere schweifen
In die Welt hinaus und greifen
Ins Gewühl, als wollten sie das Schicksal packen,
Und dein schwarzes Haar schlägt herrisch dir im Nacken,
Eine windentrollte Fahne, die zum Sturme weht —
Auf! Reiße dich empor! Die Barrikade steht!
Der Himmel ist von tausend Freiheitsfackeln aufgehellt —
Brich aus, Raubtier,
Stürme an ihren erstarrten Reihen,

Aufgerissnen Mäulern, schreckerstickten Schreien
Vorbei
In deine Welt!
Brich aus, Raubtier!
Brich aus!

LA QUERIDA

Deine Umarmungen sind wie Sturm,
   der uns über Weltenabgründe schwenkt,
Deine Umarmungen sind wie wildduftender Regen,
   der das Blut mit Traum und Irrsein tränkt.
Aber dann ist Tag. Nachtschwere Augen brechen auf,
   herwankend aus goldner Vernichtung und Tod,
Durch Ströme dunklen Bluts rausch ich zurück
   wie Ebbe, fühle schneidend eine Not,
Höre deines Herzens Schlag an meinem Herzen klopfen
   und weiß doch: du bist ganz fern und weit.
Fühle: überm Feuer dieser Lust, die wir entfacht,
   weht eine Traurigkeit,
Näher an dir! Gewölk, das meinem stillern
   Tagverlangen dein Gesicht entzieht,
Fremdes, darein du flüchtest, drin sich deine Inbrunst,
   ferne Liebeslitaneien betend, niederkniet,
Herzblut, das tropft, verschollene Worte,
   Streichen über heiße Stirn, Finger gefaltet,
   Blicke zärtlich tauend, die ich nie gekannt —
Grenzenloses streckt sich wie ein undurchdringlich
   tiefes, dämmerunggefülltes Land,
Gärten, zugewachsen, die ins Frühlicht eingeblüht
   bei deiner Seele stehn —
Ich weiß: du müßtest über hundert Brücken,

weite zugesperrte Straßen gehn,
Rückwärts,
   in dein Mädchenland zurück,
Müßtest deine Hand
   mir geben und das lange Stück
Mit mir durchwandern,
   bis Erinnerung, Lust und Wehe dir entschwänden,
Und wir in morgendlich begrünten Furchen
   vor dem Tal des neuen Aufgangs ständen . . .
Aber du blickst zurück. Schrickst auf und schauerst.
   Lächelst. Und deine Lippen sinken,
Geflügel wilder Schwäne, über meinen Mund,
   als wollten sie sich um Erwachen
   und Besinnung trinken.

LINDA

Du griffst nach Glück.
   Es schmolz wie Flocken Schnees,
   die du in aufgehobnen Händen eingefangen.
Frost fiel auf dich. Du hast Decken
   über dein rot strömendes Herz gehangen.
Traumstarre kam und füllte alle Mulden deiner Seele
   wie Gewässer aus entsperrten Wehren —
Nun fühlst du Wüsten um dich wachsen,
   die dein wehes Blut verzehren.
Nun siehst du dich, mit nachtgebundnen Augen,
   wie im Schlaf, durch tote Gassen schreiten
Und Schicksal, spukhaft nah und unerreichbar,
   dir vorübergleiten.
Wach auf! Gespenster suchen dich!
   Sieh: über dir wölbt sich südlicher Mittagshimmel,

buntgefleckt, goldtief und klar!
Sieh: der Meerwind deiner Kindheit weht immer noch
 über dein aufgelockertes schwarzes Haar!
Sieh: deine schlafbetäubten Augen sind
 ganz getränkt und vollgesogen
Mit Glück der Welt, das sie in frühen Klostertagen
 dürstend auf sich hergezogen.
Und jeder Hauch,
 der dein erwachend Blut dereinst bewegt,
Ward nun zum festen Pulsschlag,
 der dein Wesen nährt und trägt.
Tanz bäumt sich in deinen Gliedern
 und wartet, aufgereckt,
Daß deines Herzens Cymbelschlagen
 seine Lust erweckt.
Deines Lebens Stimme steigt,
 morgendlich überschwellend wie Lerchenschlag,
Über das Frühlingsland,
 das lauter und jung erglänzt wie am ersten Tag.
Vor deiner Schwelle wartet alles Wunder
 und will zu dir herein —
Schüttle die Nacht von dir!
 SEI DU! Und du wirst stark und selig sein.

DER AUFBRUCH
1914

Die Flucht
Stationen
Die Spiegel
Die Rast

Die Flucht

WORTE

Man hatte uns Worte vorgesprochen,
    die von nackter Schönheit und Ahnung
    und zitterndem Verlangen übergiengen.
Wir nahmen sie, behutsam wie fremdländische Blumen,
    die wir in unsrer Knabenheimlichkeit aufhiengen.
Sie versprachen Sturm und Abenteuer,
    Überschwang und Gefahren und todgeweihte Schwüre —
Tag um Tag standen wir und warteten,
    daß ihr Abenteuer uns entführe.
Aber Wochen liefen kahl und spurlos,
    und nichts wollte sich melden, unsre Leere fortzutragen.
Und langsam begannen die bunten Worte zu entblättern.
    Wir lernten sie ohne Herzklopfen sagen.
Und die noch farbig waren, hatten sich von Alltag
    und allem Erdwohnen geschieden:
Sie lebten irgendwo verzaubert auf paradiesischen Inseln
    in einem märchenblauen Frieden.
Wir wußten:
    sie waren unerreichbar wie die weißen Wolken,
    die sich über unserm Knabenhimmel vereinten,
Aber an manchen Abenden geschah es,
    daß wir heimlich und sehnsüchtig
    ihrer verhallenden Musik nachweinten.

In einem alten Buche
    stieß ich auf ein Wort,
Das traf mich wie ein Schlag
    und brennt durch meine Tage fort:
Und wenn ich mich
    an trübe Lust vergebe,
Schein, Lug und Spiel zu mir
    anstatt des Wesens hebe,
Wenn ich gefällig mich
    mit raschem Sinn belüge,
Als wäre Dunkles klar, als wenn nicht Leben
    tausend wild verschlossne Tore trüge,
Und Worte wiederspreche,
    deren Weite nie ich ausgefühlt,
Und Dinge fasse,
    deren Sein mich niemals aufgewühlt,
Wenn mich willkommner Traum
    mit Sammethänden streicht,
Und Tag und Wirklichkeit
    von mir entweicht,
Der Welt entfremdet,
    fremd dem tiefsten Ich,
Dann steht das Wort mir auf:
    Mensch, werde wesentlich!

I.

Klangen Frauenschritte hinter Häuserbogen,
Folgtest du durch Gassen hingezogen
Feilen Blicken und geschminkten Wangen nach,
Hörtest in den Lüften Engelschöre musizieren,
Spürtest Glück, dich zu zerstören, zu verlieren,
Branntest dunkel nach Erniedrigung und Schmach.

Bis du dich an Eklem vollgetrunken,
Vor dem ausgebrannten Körper hingesunken,
Dein Gesicht dem eingeschrumpften Schoß verwühlt —
Fühltest, wie aus Schmach dir Glück geschähe,
Und des Gottes tausendfache Nähe
Dich in Himmelsreinheit höbe, niegefühlt.

II.

O Gelöbnis der Sünde!
     All' ihr auferlegten Pilgerfahrten in entehrte Betten!
Stationen der Erniedrigung und der Begierde
     an verdammten Stätten!
Obdach beschmutzter Kammern, Herd in der Stube,
     wo die Speisereste verderben,
Und die qualmende Öllampe, und über der
     wackligen Kommode der Spiegel in Scherben!
Ihr zertretnen Leiber! du Lächeln,
     krampfhaft in gemalte Lippen eingeschnitten!
Armes, ungepflegtes Haar!
     ihr Worte, denen Leben längst entglitten —
Seid ihr wieder um mich,
     hör' ich euch meinen Namen nennen?
Fühl' ich aus Scham und Angst wieder den einen Drang

nur mich zerbrennen:
Sicherheit der Frommen,
    Würde der Gerechten anzuspeien,
Trübem, Ungewissem, schon Verlornem
    mich zu schenken, mich zu weihen,
Selig singend
    Schmach und Dumpfheit der Geschlagenen zu fühlen,
Mich ins Mark des Lebens
    wie in Gruben Erde einzuwühlen.

III.

Ich stammle irre Beichte über deinem Schoß:
Madonna, mach' mich meiner Qualen los.
Du, deren Weh die Liebe nie verließ,
In deren Leib man sieben Schwerter stieß,
Die lächelnd man zur Marterbank gezerrt —
O sieh, noch bin ich ganz nicht aufgesperrt,
Noch fühl' ich, wie mir Haß zur Kehle steigt,
Und vielem bin ich fern und ungeneigt.
O laß die Härte, die mich engt, zergehn,
Nur Tor mich sein, durch das die Bilder gehn,
Nur Spiegel, der die tausend Dinge trägt,
Allseiend, wie dein Atemzug sich über Welten regt.

IV.

Dann brenn' ich nächtelang, mich zu kasteien,
Und spüre Stock und Geißel über meinen Leib geschwenkt:
Ich will mich ganz von meinem Selbst befreien,
Bis ich an alle Welt mich ausgeschenkt.
Ich will den Körper so mit Schmerzen nähren,
Bis Weltenleid mich sternengleich umkreist —
In Blut und Marter aufgepeitschter Schwären
Erfüllt sich Liebe und erlöst sich Geist.

Tag will herauf.
    Nacht wehrt nicht mehr dem Licht.
O Morgenwinde,
    die den Geist in ungestüme Meere treiben!
Schon brechen Vorstadtbahnen
    fauchend in den Garten
Der Frühe. Bald sind Straßen, Brücken
    wieder von Gewühl und Lärm versperrt —
O jetzt ins Stille flüchten! Eng im Zug der Weiber,
    der sich übern Treppengang zur Messe zerrt,
In Kirchenwinkel knien!
    O, alles von sich tun, und nur in Demut
    auf das Wunder der Verheißung warten!
O Nacht der Kathedralen!
    Inbrunst eingelernter Kinderworte!
Gestammel unverstandner Litanein, indes die Seelen
    in die Sanftmut alter Heiligenbilder schauen . .
O Engelsgruß der Gnade . .
    ungekannt im Chor der Gläubigen stehn
    und harren, daß die Pforte
Aufspringe, und ein Schein uns kröne
    wie vom Haar von unsrer lieben Frauen.

METAMORPHOSEN

Erst war grenzenloser Durst,
    ausholend Glück, schamvolles Sichbeschauen,
Abends in der Jungenstube, wenn die Lampe ausgieng,
    Zärtlichkeiten überschwänglich hingeströmt
    an traumerschaffne Frauen,

Verzückte Worte ins Leere gesprochen
und im Blut der irre Brand —
Bis man sich eines Nachts
in einem schälen Zimmer wiederfand,
Stöhnend, dumpf, und seine Sehnsucht über einen trüben,
eingesunknen Körper leerte,
Sich auf die Zähne biß und wußte:
dieses sei das Leben, dem man sich bekehrte.
Ein ganzer blondverklärter Knabenhimmel
stand in Flammen —
Damals stürzte Göttliches zusammen . .
Aber Seele hüllte gütig enge Kammer,
welken Leib und Scham und Ekel ein,
Und niemals wieder war Liebe so sanft,
demütig und rein,
So voller Musik wie da . . .

Dann sind Jahre hingegangen
und haben ihren Zoll gezahlt.
Aus ihrem Fluß manch' eine Liebesstunde
wie eine Mondwelle aufstrahlt.
Aber Wunder wich zurück, wie schöne hohe Kirchen
Sommers vor der Dämmerung in die Schatten weichen.
Eine Goldspur wehte übern Abendhimmel hin:
nichts konnte sie erreichen.
Seele blieb verlassen,
Sehnsucht kam mit leeren Armen heim,
so oft ich sie hinausgeschickt,
Wenn ich im Dunkel nach Erfüllung rang,
in Hauch und Haar geliebter Frau'n verstrickt.
Denn immer griffen meine Hände
nach dem fernen bunten Ding,
Das einmal

über meinem Knabenhimmel hieng.
Und immer rief mein Kiel nach Sturm —
 doch jeder Sturm hat mich ans Land geschwemmt,
Sterne brachen, und die Flut zerfiel,
 in Schlick und Sand verschlämmt...
Daran mußt' ich heute denken,
 und es fiel mir ein,
Daß alles das umsonst,
 und daß es anders müsse sein,
Und daß vielleicht die Liebe nichts
 als schweigen,
Mit einer Frau am Meeresufer stehn
 und durch die Dünen horchen,
 wie von fern die Wasser steigen.

BETÖRUNG

Nun bist du, Seele, wieder deinem Traum
Und deiner Sehnsucht selig hingegeben.
In holdem Feuer glühend fühlst du kaum,
Daß Schatten alle Bilder sind, die um dich leben.

Denn nächtelang war deine Kammer leer.
Nun grüßen dich, wie über Nacht die Zeichen
Des jungen Frühlings durch die Fenster her,
Die neuen Schauer, die durch deine Seele streichen.

Und weißt doch: niemals wird Erfüllung sein
Den Schwachen, die ihr Blut dem Traum verpfänden,
Und höhnend schlägt das Schicksal Krug und Wein
Den ewig Dürstenden aus hochgehobnen Händen.

Im sinkenden Abend,
  wenn die Fischer in den Meerhäfen ihre Kähne rüsten,
In der austreibenden Flut,
  die braunen Masten zitternd vor dem Wind —
Seele, wirfst du zitternd dich ins Segel,
  gierig nach entlegnen Küsten,
Dahin die Wunder deiner Nächte
  dir entglitten sind?

Oder bist du so wehrlos
  deiner Sterne Zwang verfallen,
Daß dich ein irrer Wille nur ins Ferne,
  Uferlose drängt —
Auf wilden Wassern schweifend,
  wenn die Stürme sich in deines Schiffes Rippen krallen,
Und Nacht und Wolke
  endlos graues Meer und grauen Himmel mengt?

Und wütest du im Dunkel gegen dein Geliebtes
  und erwachst mit strömend tiefen Wunden,
Das Auge matt, dein Blut verbrannt
  und deiner Sehnsucht Schwingen leer,
Und siehst, mit stierem Blick,
  und unbewegt an deines Schicksals Mast gebunden
Den Morgen glanzlos schauern überm Meer?

Was waren Frauen anders dir als Spiel,
Der du dich bettetest in soviel Liebesstunden:
Du hast nie andres als ein Stück von dir gefunden,
Und niemals fand dein Suchen sich das Ziel.

Du strebtest, dich im Hellen zu befreien,
Und wolltest untergeh'n in wolkig trüber Flut —
Und lagst nur hilflos angeschmiedet in den Reihen
Der Schmachtenden, gekettet an dein Blut.

Du stiegst, dein Leben höher aufzutürmen,
In fremde Seelen, wenn dich eigne Kraft verließ,
Und sahst erschauernd deinen Dämon dich umstürmen,
Wenn deinen dünnen Traum der Tag durchstieß.

REINIGUNG

Lösche alle deine Tag' und Nächte aus!
Räume alle fremden Bilder fort aus deinem Haus!
Laß Regendunkel über deine Schollen niedergehn!
Lausche: dein Blut will klingend in dir auferstehn! —
Fühlst du:
    schon schwemmt die starke Flut dich neu und rein,
Schon bist du selig in dir selbst allein
Und wie mit Auferstehungslicht umhangen —
Hörst du: schon ist die Erde um dich leer und weit
Und deine Seele atemlose Trunkenheit,
Die Morgenstimme deines Gottes zu umfangen.

Nur eines noch:
   viel Stille um sich her wie weiche Decken schlagen,
Irgendwo im Alltag versinken, in Gewöhnlichkeit,
   seine Sehnsucht in die Enge bürgerlicher Stuben tragen,
Hingebückt, ins Dunkel gekniet, nicht anders sein wollen,
   geschränkt und gestillt, von Tag und Nacht überblüht,
   heimgekehrt von Reisen
Ins Metaphysische — Licht sanfter Augen über sich,
   weit, tief ins Herz geglänzt,
   den Rest von irrem Himmelsdurst zu speisen —
Kühlung Wehendes, Musik vieler gewöhnlicher Stimmen,
   die sich so wie Wurzeln stiller Birken
   stark ins Blut dir schlagen,
Vorbei die umtaumelten Fanfaren,
   die in Abenteuer und Ermattung tragen,
Morgens erwachen, seine Arbeit wissen, sein Tagewerk,
   festbezirkt, stumm aller Lockung,
   erblindet allem, was berauscht und trunken macht,
Keine Ausflüge mehr ins Wolkige,
   nur im Nächsten noch sich finden, einfach wie ein Kind,
   das weint und lacht,
Aus seinen Träumen fliehen, Helle auf sich richten,
   jedem Kleinsten sich verweben,
Aufgefrischt wie vom Bad, ins Leben eingeblüht,
   dunkel dem großen Dasein hingegeben.

Mein Gott, ich suche dich.
  Sieh mich vor deiner Schwelle knien
Und Einlaß betteln.
  Sieh, ich bin verirrt, mich reißen tausend Wege
  fort ins Blinde,
Und keiner trägt mich heim.
  Laß mich in deiner Gärten Obdach fliehn,
Daß sich in ihrer Mittagsstille
  mein versprengtes Leben wiederfinde.
Ich bin nur stets
  den bunten Lichtern nachgerannt,
Nach Wundern gierend, bis mir Leben,
  Wunsch und Ziel in Nacht verschwanden.
Nun graut der Tag. Nun fragt mein Herz
  in seiner Taten Kerker eingespannt
Voll Angst den Sinn
  der wirren und verbrausten Stunden.
Und keine Antwort kommt.
  Ich fühle, was mein Bord an letzten Frachten trägt,
In Wetterstürmen
  ziellos durch die Meere schwanken,
Und das im Morgen kühn und fahrtenfroh sich wiegte,
  meines Lebens Schiff zerschlägt
An dem Magnetberg eines irren Schicksals
  seine Planken. —
Still, Seele! Kennst du deine eigne Heimat nicht?
Sieh doch: du bist in dir. Das ungewisse Licht,
Das dich verwirrte, war die Ewige Lampe,
  die vor deines Lebens Altar brennt.
Was zitterst du im Dunkel?
  Bist du selber nicht das Instrument,

Darin der Aufruhr aller Töne
    sich zu hochzeitlichem Reigen schlingt?
Hörst du die Kinderstimme nicht,
    die aus der Tiefe leise dir entgegensingt?
Fühlst nicht das reine Auge,
    das sich über deiner Nächte wildste beugt —
O Brunnen, der aus gleichen Eutern trüb
    und klare Quellen säugt,
Windrose deines Schicksals,
    Sturm, Gewitternacht und sanftes Meer,
Dir selber alles:
    Fegefeuer, Himmelfahrt und ewige Wiederkehr —
Sieh doch, dein letzter Wunsch,
    nach dem dein Leben heiße Hände ausgereckt,
Stand schimmernd schon
    am Himmel deiner frühsten Sehnsucht aufgesteckt.
Dein Schmerz und deine Lust lag immer schon
    in dir verschlossen wie in einem Schrein,
Und nichts, was jemals war und wird,
    das nicht schon immer dein.

VORFRÜHLING

In dieser Märznacht
    trat ich spät aus meinem Haus.
Die Straßen waren aufgewühlt von Lenzgeruch
    und grünem Saatregen.
Winde schlugen an. Durch die verstörte Häusersenkung
    gieng ich weit hinaus
Bis zu dem unbedeckten Wall und spürte:
    meinem Herzen schwoll ein neuer Takt entgegen.

In jedem Lufthauch
    war ein junges Werden ausgespannt.
Ich lauschte,
    wie die starken Wirbel mir im Blute rollten.
Schon dehnte sich bereitet Acker.
    In den Horizonten eingebrannt
War schon die Bläue hoher Morgenstunden,
    die ins Weite führen sollten.

Die Schleusen knirschten.
    Abenteuer brach aus allen Fernen.
Überm Kanal, den junge Ausfahrtwinde wellten,
    wuchsen helle Bahnen,
In deren Licht ich trieb.
    Schicksal stand wartend in umwehten Sternen.
In meinem Herzen lag ein Stürmen
    wie von aufgerollten Fahnen.

RESURRECTIO

Flut, die in Nebeln steigt.
    Flut, die versinkt.
O Glück: das große Wasser,
    das mein Leben überschwemmte, sinkt, ertrinkt.
Schon wollen Hügel vor. Schon bricht gesänftigt
    aus geklärten Strudeln Fels und Land.
Bald wehen Birkenwimpel
    über windgesträhltem Strand.
O langes Dunkel.
    Stumme Fahrten zwischen Wolke, Nacht und Meer.
Nun wird die Erde neu.
    Nun gibt der Himmel aller Formen zarten Umriß her.

Herzlicht von Sonne,
das sich noch auf gelben Wellen bäumt —
Bald kommt die Stunde,
wo dein Gold in grünen Frühlingsmulden schäumt —
Schon tanzt im Feuerbogen,
den der Morgen übern Himmel schlägt,
Die Taube,
die im Mund das Ölblatt der Verheißung trägt.

SOMMER

Mein Herz steht bis zum Hals in gelbem Erntelicht
wie unter Sommerhimmeln schnittbereites Land.
Bald läutet durch die Ebenen Sichelsang:
mein Blut lauscht tief mit Glück gesättigt
in den Mittagsbrand.
Kornkammern meines Lebens, lang verödet,
alle eure Tore sollen nun wie Schleusenflügel offen stehn,
Über euern Grund wird wie Meer
die goldne Flut der Garben gehn.

FORM IST WOLLUST

Form und Riegel mußten erst zerspringen,
Welt durch aufgeschlossne Röhren dringen:
Form ist Wollust, Friede, himmlisches Genügen,
Doch mich reißt es, Ackerschollen umzupflügen.
Form will mich verschnüren und verengen,
Doch ich will mein Sein in alle Weiten drängen —

Form ist klare Härte ohn' Erbarmen,
Doch mich treibt es zu den Dumpfen, zu den Armen,
Und in grenzenlosem Michverschenken
Will mich Leben mit Erfüllung tränken.

DER AUFBRUCH

Einmal schon haben Fanfaren
   mein ungeduldiges Herz blutig gerissen,
Daß es, aufsteigend wie ein Pferd,
   sich wütend ins Gezäum verbissen.
Damals schlug Tambourmarsch
   den Sturm auf allen Wegen,
Und herrlichste Musik der Erde
   hieß uns Kugelregen.
Dann, plötzlich, stand Leben stille.
   Wege führten zwischen alten Bäumen.
Gemächer lockten.
   Es war süß, zu weilen und sich versäumen,
Von Wirklichkeit den Leib
   so wie von staubiger Rüstung zu entketten,
Wollüstig sich in Daunen
   weicher Traumstunden einzubetten.
Aber eines Morgens
   rollte durch Nebelluft das Echo von Signalen,
Hart, scharf, wie Schwerthieb pfeifend. Es war
   wie wenn im Dunkel plötzlich Lichter aufstrahlen.
Es war wie wenn durch Biwakfrühe
   Trompetenstöße klirren,
Die Schlafenden aufspringen und die Zelte abschlagen
   und die Pferde schirren.

Ich war in Reihen eingeschient,
  die in den Morgen stießen, Feuer über Helm und Bügel,
Vorwärts, in Blick und Blut die Schlacht,
  mit vorgehaltnem Zügel.
Vielleicht würden uns
  am Abend Siegesmärsche umstreichen,
Vielleicht lägen wir irgendwo ausgestreckt
  unter Leichen.
Aber vor dem Erraffen
  und vor dem Versinken
Würden unsre Augen sich an Welt und Sonne satt
  und glühend trinken.

LOVER'S SEAT

Im Abend sind wir steile
 grünbebuschte Dünenwege hingeschritten.
Du ruhst an mich gedrängt.
 Die Kreideklippe schwingt ihr schimmerndes Gefieder
 über tiefem Meere.
Hier, wo der Fels
 in jäher Todesgier ins Leere
Hinüberlehnt, sind einst zwei Liebende
 ins weiche blaue Bett geglitten.

Fern tönt die Brandung.
 Zwischen Küssen lausch ich der Legende,
Die lachend mir dein Mund
 in den erglühten Sommerabend spricht.
Doch tief mich beugend
 seh' ich wie im Glück erstarren dein Gesicht
Und dumpfe Schwermut
 hinter deinen Wimpern warten und das nahe Ende.

FÜLLE DES LEBENS

Dein Stern erglänzt in Auferstehungsfrühen,
Dein Schicksal treibt, als Opfer sich zu spenden,
Durstige Flamme, kühn, sich zu verschwenden,
Wie Laubgerinnsel, die im Herbstwald sich verglühen.

In Fernen sind die Hölzer schon geschichtet,
Den Leib zu neuer Weihe zu empfangen —
Und schwellend ist, um das die Wimpel deiner Träume hangen,
Das Brautbett deiner letzten Sehnsucht aufgerichtet.

FERNEN

In Schmerzen heilig
    allem Leid Gefeite,
Da immer schwächer dir
    die hellen Stimmen klangen
Des Tages, stumm dein Schicksal dich
    und hart den Scharen weihte
Der Hungernden, die über öde Fluren
    wunde Sehnsuchtsfinger falten —

Ist nun dein Leben Zwiesprach
    mit verwunschnen Dingen,
Sturm, Geist und Dunkel
    deiner Seele nahe und geliebt?
Ich fühle deinen Leib den Händen,
    die ihn klammern, sich entringen
In Länder, deren Erde dürr wie Zunder
    meinem Tritt entstiebt.

Nun denkt mir's
    durch die brennenden versehnten
Traumaugen deiner Frohsinnsstunden,
    die wie kaum erst flügge Vögel nur
Schüchterne Flügel schlagend
    überm schwanken Bord des Lebens lehnten,
Und mich beströmt wie Herzblut deiner Marter
    alle Qual der Kreatur.

Ich stand in Nacht. Ich rang versteinert.
    Fand in Wüsten irrend deine Seele nicht.
Die Wege lagen endlos mir verschüttet,
    die zu deiner Schwelle liefen.
Ich war ganz fern. Du sprachst zu mir.
    Ich stand mit abgewandtem Herzen und Gesicht.
Wie Sterbeglocken rauschten mir die Worte,
    die mich zu dir riefen.
Ich lauschte dumpf der Stimme.
    Wie erstarrt. Sie kam
Aus Fernen: still; demütig, aber fest;
    nachtwandelnd und im Glanze ihres Schicksals,
    und sie drang in meinen Traum.
Da war's, daß in mein Herz das Wunder brach.
    Ich wachte auf. In jäher Scham
Sah ich mich selbst. Sah deine Seele, wie sie stumm,
    mit schweren Lidern, vor mir stand,
Nackend. Sah ihre lange Qual,
    und wie sie durch die vielen, vielen Nächte
Mich so gesucht, die Augen still in mich gekehrt,
    und mich doch nimmer fand,
Indes ich blind
    in wilden Zonen irrte
Und meines Herzens Heimwehruf
    verbannte.
Sah, wie ihr reiner Spiegel
    sich mit Dunkel wirrte,
Und jäh gereckt die Gier,
    wie sie sich selbst zum Opfer brächte,
Grausam, im eignen Blut die Qualen löschend,
    und mit Weh ihr Weh ertöte,

Im Opfer ihres Leibes. Und ich sah dich bleich,
    mit nackten Füßen auf dem Büßerberg
    und über deiner Brust die Röte
Der Wunden, die ich dir geschlagen.
    Sah dich matt und bloß
Und schwach.
    Doch über Nacht und Leid
Strahlte dein heiliges Herz. Ich sah den Glorienschein,
    der jählings über deinem Scheitel brannte
Und mich begoß.
    Oh, immer will ich stehn und schauen, schauen
Und warten, du Geliebte,
    daß dein Antlitz mir ein Lächeln schenke.
Ich weiß, ich hab an dir gesündigt.
    Sieh, ich will dein Kleid
Bloß fassen, so wie Mütter tun mit kranken Kindern
    vor dem Bild der lieben Frauen —
Nur lächle wieder,
    du, in deren Schoß
Ich wie in klares Wasser
    meines Lebens dunkles Opfer senke.

Du wolltest dir entfliehn, an Fremdes dich fortschenken,
Vergangenheit auslöschen, neue Ströme in dich lenken —
Und fandest tiefer in dich selbst zurück.
Befleckung glitt von dir und ward zu Glück.
Nun fühlst du Schicksal deinem Herzen dienen,
Ganz nah bei dir,
    leidend von allen treuen Sternen überschienen.

GANG IN DER NACHT

Die Alleen der Lichter, die der Fluß
    ins Dunkel schwemmt, sind schon erblindet
In den streifenden Nebeln.
    Bald sind die Staden eingedeckt. Schon findet
Kein Laut den Weg mehr aus dem trägen Sumpf,
    der alles Feste in sich schluckt.
Die Stille lastet. Manchmal bläst ein Wind
    die Gaslaternen auf. Dann zuckt
Über die untern Fensterreihen eine Welle dünnen Lichts
    und schießt zurück. Im Schreiten
Springen die Häuser aus dem Schatten vor
    wie Rümpfe wilder Schiffe auf entferntem Meer
    und gleiten
Wieder in Nacht. O diese Straße,
    die ich so viel Monde nicht gegangen —
Nun streckt Erinnerung hundert Schmeichlerarme aus,
    mich einzufangen,
Legt sich zu mir, ganz still, nur schattenhaft,
    nur wie die letzte Welle Dufts
    von Schlehdornsträuchern abgeweht,

Nur wie ein Spalt von Licht, davon doch meine Seele
   wie ein Frühlingsbeet in Blüten steht —
Ich schreite wie durch Gärten.
   Bin auf einem großen Platz.
   Nebel hängt dünn und flimmernd
   wie durch Silbernetz gesiebt —
Und plötzlich weiß ich: hinter diesen Fenstern dort
   schläft eine Frau, die mich einmal geliebt,
Und die ich liebte. Hüllen fallen. Eine Spannung bricht.
   Ich steh' bestrahlt, bestern in einem güldnen Regen,
Alle meine Gedanken laufen wie verklärt durchs Dunkel
   einer magisch tönenden Musik entgegen.

WINTERANFANG

Die Platanen sind schon entlaubt. Nebel fließen.
   Wenn die Sonne einmal durch den Panzer
   grauer Wolken sticht,
Spiegeln ihr die tausend Pfützen
   ein gebleichtes runzliges Gesicht.
Alle Geräusche sind schärfer. Den ganzen Tag über
   hört man in den Fabriken die Maschinen gehn —
So tönt durch die Ebenen der langen Stunden
   mein Herz und mag nicht stille stehn
Und treibt die Gedanken
   wie surrende Räder hin und her,
Und ist wie eine Mühle mit windgedrehten Flügeln,
   aber ihre Kammern sind leer:
Sie redet irre Worte in den Abend
   und schlägt das Kreuz. Schon schlafen die Winde ein
   Bald wird es schnei'n,
Dann fällt wie Sternenregen weißer Friede
   aus den Wolken und wickelt alles ein.

Die Silhouette deines Leibs steht in der Frühe
  dunkel vor dem trüben Licht
Der zugehangnen Jalousien. Ich fühl, im Bette liegend,
  hostiengleich mir zugewendet dein Gesicht.
Da du aus meinen Armen dich gelöst, hat dein geflüstert
  »Ich muß fort« nur an die fernsten Tore
  meines Traums gereicht —
Nun seh ich, wie durch Schleier, deine Hand,
  wie sie mit leichtem Griff das weiße Hemd
  die Brüste niederstreicht . .
Die Strümpfe . . nun den Rock . . .
  das Haar gerafft . . schon bist du fremd,
  für Tag und Welt geschmückt . .
Ich öffne leis die Türe . . küsse dich . . du nickst,
  schon fern, ein Lebewohl . . und bist entrückt.
Ich höre, schon im Bette wieder,
  wie dein sachter Schritt im Treppenhaus verklingt,
Bin wieder im Geruche deines Körpers eingesperrt,
  der aus den Kissen strömend
  warm in meine Sinne dringt.
Morgen wird heller. Vorhang bläht sich.
  Junger Wind und erste Sonne will herein.
Lärmen quillt auf . . Musik der Frühe . .
  sanft in Morgenträume eingesungen schlaf ich ein.

War man glücklich eingestaubten Bänken,
Lehrerquengeln und den Zeichen an der Tafel,
   die man nicht verstand, entzogen,
Abends im Theater, auf die Brüstung hingebogen,
Fühlte man sich Himmel köstlich niedersenken.

Nur im Spiele wollte Glück sich geben,
Wo sich Traum ein ungeheures Sein erfand,
Und den Händen, die zum ersten Mal nach Leben
Griffen, rollte Wirklichkeit dahin wie loser Sand.

Aber wenn du vor den Bühnenlichtern schrittest,
Lächeltest und eingelernte Worte sprachst,
   war Wunder aufgehellt,
Mit Musik und Beifall und geputzter Menge glittest
Du ins Herz, warst Weib und Ruhm und Welt.

Herrlich lag beisammen,
   was sich dann zerstückte,
In beseelte Stummheit
   waren tausend Liebesworte eingedrängt,
Wenn man Abends scheu und heiß
   an deinen Fenstern sich vorüberdrückte,
War Erfüllung schimmernd
   wie ein Rosenregen ausgesprengt.

GLÜCK

Nun sind vor meines Glückes Stimme
   alle Sehnsuchtsvögel weggeflogen.
Ich schaue still den Wolken zu,
   die über meinem Fenster in die Bläue jagen —
Sie locken nicht mehr,
   mich zu fernen Küsten fortzutragen,
Wie einst, da Sterne, Wind und Sonne
   wehrlos mich ins Weite zogen.
In deine Liebe bin ich
   wie in einen Mantel eingeschlagen.
Ich fühle deines Herzens Schlag,
   der über meinem Herzen zuckt.
Ich steige selig
   in die Kammer meines Glückes nieder,
Ganz tief in mir, so wie ein Vogel,
   der ins flaumige Gefieder
Zu sommerdunklem Traum
   das Köpfchen niederduckt.

IN DIESEN NÄCHTEN

In diesen Nächten friert mein Blut
   nach deinem Leib, Geliebte.
O, meine Sehnsucht ist wie dunkles Wasser
   aufgestaut vor Schleusentoren,
In Mittagsstille hingelagert
   reglos lauernd,
Begierig, auszubrechen.
   Sommersturm,

Der schwer im Hinterhalt geladner Wolken hält.
  Wann kommst du, Blitz,
Der ihn entfacht,
  mit Lust befrachtet, Fähre,
Die weit der Wehre starre Schenkel
  von sich sperrt? Ich will
Dich zu mir in die Kissen tragen
  so wie Garben jungen Klees
In aufgelockert Land.
  Ich bin der Gärtner,
Der weich dich niederbettet.
  Wolke, die
Dich übersprengt,
  und Luft, die dich umschließt.
In deine Erde
  will ich meine irre Glut vergraben und
Sehnsüchtig blühend
  über deinem Leibe auferstehn.

DER FLÜCHTLING

Da sich mein Leib
    in jener Gärten Zaubergrund verirrte,
Wo blauer Schierling
    zwischen Stauden dunkler Tollkirschblüten stand,
Was hilft es, daß ein später Tagesschein
    den Knäuel bunter Fieberträume mir entwirrte,
Und durch das Frösteln grauer Morgendämmerungen
    sich mein Fuß den Ausweg fand?

Von jener Nächte
    frevelvollen Seligkeiten
Gärt noch mein Blut
    so wie mit fremdem Fiebersaft beschwert
Und aus dem Schwall der Stunden,
    die wie hingejagte Wolken mir entgleiten,
Bleibt tief mein Traum
    wie über blaue Heimatseen in sich selbst gekehrt.

Um meines Lebens
    ungewisse Schalen neigen
Und drängen sich die Bilder,
    die aus Urwaldskelchen aufgeflogen sind,
Und meine Wünsche wollen,
    wilde Vogelschwärme, in die Tannenwipfel steigen,
Und meine Seele schreit,
    wehrlose Wetterharfe unterm Wind.

Die Hütte lehnt am braunen Rebenhügel,
Von der sie Stunden oft ins weite Land geschaut,
Daraus sie eines Tags, auf farbiger Dämmerung Flügel,
Hintrat ins Volk, mit Grün geschmückt wie eine Braut.

Durch ihre Augen irrten blanke Sterne,
Um ihre Kinderwangen Feuer sprang,
Die Stimme bebte, da ihr Wort zum Volke drang:
»Mich ruft ein hoher Wille in die große Ferne.

Fragt nicht noch sorgt euch, was mir Schicksal werde,
Der hält mein Leben, der mir diese Sehnsucht schuf —
Aus stiller Hut reißt mich ein ungeheurer Ruf
In allen Sturm und Seligkeit der Erde.«

Sie hörte kaum, wie Greise schwach sich mühten.
Sie gieng. Im Abend leuchtete wie Weizen gelb ihr Haar.
Vor ihrem Fenster die Holunderblüten
Erglommen und verwehten einsam Jahr um Jahr.

Doch eines Morgens, da die späten Sterne blichen,
Und banges Zwielicht eisig in den Zweigen hieng,
Da sah ein Weib, das Wasser schöpfen gieng,
Wie sie sich fremd und fröstelnd in die Tür geschlichen.

Und seit dem Tage schwebt auf ihren Wegen
Ein Glorienschein, der Gau und Volk erhellt,
Und ihre Stimme hat den großen Segen
Der Liebenden, die Gott zu Mittlern hat bestellt.

Da ihm die erznen Flügel
   dröhnend vor die Füße klirrten,
Fernhin der Gral entwich und Brodem
   feuchter Herbstnachtwälder aus dem Dunkel sprang,
Sein Mund in Scham und Schmerz verirrt,
   indessen die Septemberwinde ihn umschwirrten,
Mit Kindesstammeln jenes Traums
entrückte Gegenwart umrang,

Da sprach zu ihm die Stimme:
   Törichter, schweige!
Was sucht dein Hadern Gott? Noch bist du unversühnt
   und fern vom Ziele deiner Fahrt —
Wirf deine Sehnsucht in die Welt!
   Dein warten Städte, Menschen, Meere: Geh und neige
Dich deinem Gotte,
   der dich gütig neuen Nöten aufbewahrt.

Auf! Fort! Hinaus! Ins Weite!
   Lebe, diene, dulde!
Noch ist dein Tiefstes stumm —
   brich Furchen in den Fels mit härtrer Schmerzen Stahl!
Dem Ungeprüften schweigt der Gott!
   Wie Blut und Schicksal dunkel dich verschulde,
Dich glüht dein Irrtum rein,
   und erst den Schmerzgekrönten grüßt der heilige Gral.

Da seine Gnade mir die Binde
   von den Augen schloß,
Troff Licht wie Regen brennend.
   Land lag da und blühte.
Ich schritt so wie im Tanz.
   Und was davor mich wie mit Knebeln mühte,
Fiel ab und war von mir getan.
   Mich überfloß
Das Gnadenwunder, unaufhörlich quellend —
   so wie junger Wein
Im Herbst,
   wenn sie auf allen goldnen Hügeln keltern,
Und rings die Hänge nieder Saft aufspritzt
   und flammt in den Behältern,
Flammte vor mir die Welt
   und ward nun ganz erst mein
Und meines Odems Odem.
   Jedes Ding war neu und gieng
In tiefer Herzenswallung mir entgegen,
   sich zu schenken, so wie am Altar,
Des Opfers freudig, ganz in Glück gekleidet.
   Und in jedem war
Der Gott. Und keines war, darauf nicht seine Güte
   so wie Hauch um reife Früchte hieng.
Mir aber brach die Liebe alle Türen auf,
   die Hochmut mir gesperrt:
In Not Gescharte, Bettler, Säufer,
   Dirnen und Verbannte
Wurden mein lieb Geschwister. Meine Demut kniete
   vor dem Licht, das fern in ihren Augen brannte,
Und ihre rauhen Stimmen

schlossen sich zum himmlischen Konzert.
Ich selbst war dunkel ihrem Leid
    und ihrer Lust vermengt — Welle im Chor
Auffahrender Choräle. Meine Seele war die kleine Glocke,
    die im Dorfkirchhimmel der Gebete hieng
Und selig läutend in dem Überschwang der Stimmen
    sich verlor
Und ausgeschüttet in dem Tausendfachen untergieng.

BAHNHÖFE

Wenn in den Gewölben abendlich
    die blauen Kugelschalen
Aufdämmern, glänzt ihr Licht in die Nacht hinüber
    gleich dem Feuer von Signalen.
Wie Lichtoasen ruhen in der stählernen Hut
    die geschwungenen Hallen
Und warten. Und dann sind sie
    mit einem Mal von Abenteuer überfallen,
Und alle erzne Kraft
    ist in ihren riesigen Leib verstaut,
Und der wilde Atem der Maschine, die wie ein Tier
    auf der Flucht stille steht und um sich schaut,
Und es ist,
    als ob sich das Schicksal vieler hundert Menschen
    in ihr erzitterndes Bett ergossen hätte,
Und die Luft ist kriegerisch erfüllt
    von den Balladen südlicher Meere
    und grüner Küsten und der großen Städte.
Und dann zieht das Wunder weiter.
    Und schon ist wieder Stille und Licht
    wie ein Sternhimmel aufgegangen,

Aber noch lange halten die aufgeschreckten Wände,
   wie Muscheln Meergetön, die verklingende Musik
eines wilden Abenteuers gefangen.

DIE JÜNGLINGE UND DAS MÄDCHEN

Was unsern Träumen Schönheit hieß, ward Leib in dir
Und holde Schwingung sanft gezogner Glieder
Im Schreiten, anders nicht als wie in einem Tier.
Doch unsre Sehnsucht sinkt zu deinen Füßen nieder,

Erhöhung stammelnd wie vor dem Altar,
Und daß dein Blick Erfüllung ihr befehle,
Was blind in deinem Körper Trieb und Odem war,
Das wurde staunend unserm Suchen Sinn und Seele.

Du ahnst nicht dieser Stunden Glück und Qual,
Da wir dein Bild in unsern Traum versenken —
Doch du bist Leben. Wir sind Schatten.
   Deiner Schönheit Strahl
Muß, daß wir atmen, funkelnd erst uns tränken.

HEIMKEHR
Brüssel, Gare du Nord

Die Letzten, die am Weg die Lust verschmäht;
   entleert aus allen
Gassen der Stadt. In Not und Frost gepaart.
   Da die Laternen schon in schmutzigem Licht
   verdämmern,

Geht stumm ihr Zug zum Norden,
   wo aus lichtdurchsungnen Hallen
Die Schienenstränge Welt und Schicksal
   über Winkelqueren hämmern.
Tag läßt die scharfen Morgenwinde los.
   Auffröstelnd raffen
Sie ihre Röcke enger. Regen fällt in Fäden.
   Kaltes graues Licht
Entblößt den Trug der Nacht.
   Geschminkte Wangen klaffen
Wie giftige Wunden
   über eingesunkenem Gesicht.
Kein Wort. Die Masken brechen.
   Lust und Gier sind tot. Nun schleppen
Sie ihren Leib wie eine ekle Last
   in arme Schenken
Und kauern regungslos im Kaffeedunst,
   der über Kellertreppen
Aufsteigt — wie Geister, die das Taglicht angefallen —
   auf den Bänken.

DER JUNGE MÖNCH

Vermaßt ihr euch zu lieben,
   die ihr sündhaft nur begehrt,
Mit Tat und Willen trüb
   die Reine eurer Träume schändet?
O lernet tiefre Wollust:
   wartend stehn und unbewehrt,
Bis heilige Fracht die Welle
   euern Ufern ländet.

Ihr glüht und ringt.
    Ich fühle euer Herz von Sturm und Gier bewegt.
Euch girren tausend Stimmen hell ins Ohr,
    die euer Blut verführen —
Ich bin ein Halm,
    den meines Gottes Odem regt,
Ich bin ein Saitenspiel,
    das meines Gottes Finger rühren.

Ich bin ein durstig
    aufgerissen Ackerland.
In meiner nackten Scholle kreißt die Frucht.
    Der Regen
Geht drüber hin, Schauer des Frühlings,
    Sturm und Sonnenbrand,
Und unaufhaltsam reift ihr Schoß
    dem Licht entgegen.

DIE SCHWANGEREN

Wir sind aus uns verjagt. Wir hocken verängstet
    vor dem gierigen Leben,
Das sich in unserem Leibe räkelt,
    an uns klopft und zerrt.
Schreie lösen sich aus uns, die wir nicht kennen.
    Wir sind von uns selbst versperrt.
Wir sind umhergetrieben.
    Wer wird uns unserm Ursprung wiedergeben?
Alles hat anderen Sinn.
    Wir nähren Fremdes, wenn wir Speise schlucken,
Wir schwanken vor fremder Müdigkeit
    und spüren fremde Lust in uns singen.

Sind wir nur noch Land, Erdkrume und Gehäus?
   Wird dieser Leib zerspringen?
Wir fühlen Scham und möchten uns wie Tiere
   ins Gestrüpp niederducken.

SIMPLICIUS WIRD EINSIEDLER
IM SCHWARZWALD UND
SCHREIBT SEINE LEBENSGESCHICHTE

Das Wetter mancher Schlacht
   hat um unsre Nasen gepfiffen,
Wir haben die Säbel zum Stoß
   für manchen Feindesnacken geschliffen
Und unser Blut aufkochen hören,
   wenn Hieb und Kugelmusik uns umsausten.
Dann waren Nächte,
   die wir friedsamer durchbrausten,
Im Feldlager, wenn die Becher überliefen,
   Kessel schmorten und die Würfel rollten —
Das waren Stunden, die wir für alle Seligkeit Mariae
   nicht tauschen wollten.
Der Rauch von Höfen und Dörfern
   hat in unsern Augen gehangen,
Um manchen Galgen sind wir
   behutsam herumgegangen.
Oft hat uns der Tod
   schon an der Gurgel gesessen,
Dann haben wir uns geschüttelt,
   unsern Schimmel vorgezogen und sind aufgesessen.
Wir sind in allen Ländern herumgefahren,
   blutige Kesseltreiber,
Frankreich lehrte uns die Wollust feiner Betten
   und das weiße Fleisch der Weiber —

Aber immer mußte Leben überschäumen,
    um sich zu fühlen,
Und keine Schlacht und keine Umarmung
    wollte den Brand in unserm Leibe kühlen.
Nun rinnt das Blut gemacher
    in den Adern innen,
Mein Herz läuft durch die alten Bilder nur,
    um sich zur Einkehr zu besinnen.
Vor meinem Fenster die grünen Schwarzwaldtannen
    rauschen, als wollten sie von neuen Fahrten sprechen.
Die Holzplanken meiner Hütte krachen in den
    Novemberstürmen und drohen in Stücke zu brechen —
Aber ich sitze in Frieden, unbewegt,
    so wie in Engelsrüstung eingeschlossen.
Nicht Reue und nicht Sehnsucht sollen mir schmälern,
    was einst w a r und nun vorbei ist und verflossen.
Um mich her, auf dem Tisch,
    sind meine lieben Bücher aufgebaut,
Und mein Herz voll ruhiger Freude
    in den klaren Himmel hinüberschaut.
Früher hab ich meinem Gott gedient
    mit Hieb und Narben so wie heute mit Gebeten,
Ich brauche nicht zu zittern, wenn er einst mich ruft,
    vor seinen Stuhl zu treten.

DER MORGEN

Dein morgentiefes Auge ist in mir, Marie.
Ich fühle, wie es durch die Dämmerung mich umfängt
Der weiten Kirche. Stille will ich knien und warten, wie
Dein Tag aus den erblühten Heiligenfenstern zu mir drängt.

Wie kommt er sanft und gut
   und wie mit väterlicher Hand
Umschwichtigend. Wann wars,
   daß er mit grellen Fratzen mich genarrt,
Auf Vorstadtgassen,
   wenn mein Hunger nirgends sich ein Obdach fand—
Oder in grauen Stuben mich
   aus fremden Blicken angestarrt?

Nun strömt er warm wie Sommerregen über mein Gesicht
Und wie dein Atem voller Rosenduft, Marie,
Und meiner Seele dumpf verwirrt Getön hebt sanft sein Licht
In deines Lebens morgenreine Melodie.

IRRENHAUS

Le Fort Jaco, Uccle

Hier ist Leben, das nichts mehr von sich weiß—
Bewußtsein tausend Klafter tief ins All gesunken.
Hier tönt durch kahle Säle der Choral des Nichts.
Hier ist Beschwichtigung, Zuflucht,
   Heimkehr, Kinderstube.
Hier droht nichts Menschliches. Die stieren Augen,
Die verstört und aufgeschreckt im Leeren hangen,
Zittern nur vor Schrecken, denen sie entronnen.
Doch manchen klebt noch Irdisches
   an unvollkomm'nen Leibern.
Sie wollen Tag nicht lassen, der entschwindet.
Sie werfen sich in Krämpfen,
   schreien gellend in den Bädern
Und hocken wimmernd und geschlagen
   in den Ecken.

Vielen aber ist Himmel aufgetan.
Sie hören die toten Stimmen aller Dinge
    sie umkreisen
Und die schwebende Musik des Alls.
Sie reden manchmal fremde Worte,
    die man nicht versteht.
Sie lächeln still und freundlich so wie Kinder tun.
In den entrückten Augen,
    die nichts Körperliches halten, weilt das Glück.

PUPPEN

Sie stehn im Schein der Kerzen, geisterhafte Paare,
    spöttisch und kokett in den Vitrinen
Wie einst beim Menuett. Der Schönen Hände schürzen
    wie zum Spiel die Krinolinen
Und lassen weich gewölbte Knöchel über Seidenschuhe
    blühn. Die Kavaliere reichen
Galant den degenfreien Arm zum Schritt,
    und ihre feinen frechen Worte, scheint es, streichen
Wie hell gekreuzte Klingen durch die Luft,
    bis sie in kühlem Lächeln über ihrem Mund erstarren,
Indes die Schönen in den wohlerwognen Attitüden
    sanft und träumerisch verharren.
So stehn sie, abgesperrt von greller Luft,
    in den verschwiegnen Schränken
Hochmütig, kühl und fern und scheinen langvergeßnen
    Abenteuern nachzudenken.
Nur wenn die Kerzen trüber flackern,
    hebt ihr dünnes Blut sich seltsam an zu wirren:
Dann fallen Funken in ihr Auge.
    Heiße Worte scheinen in der Luft zu schwirren.

Der Schönen Leib erbebt. Im zarten Puder
　　der geschminkten Wangen gleißt
Ihr Mund wie eine tolle Frucht,
　　die Lust und Untergang verheißt.

ANREDE

Ich bin nur Flamme, Durst und Schrei und Brand.
Durch meiner Seele enge Mulden schießt die Zeit
Wie dunkles Wasser, heftig, rasch und unerkannt.
Auf meinem Leibe brennt das Mal: Vergänglichkeit.

Du aber bist der Spiegel, über dessen Rund
Die großen Bäche alles Lebens geh'n,
Und hinter dessen quellend gold'nem Grund
Die toten Dinge schimmernd aufersteh'n.

Mein Bestes glüht und lischt — ein irrer Stern,
Der in den Abgrund blauer Sommernächte fällt —
Doch deiner Tage Bild ist hoch und fern,
Ewiges Zeichen, schützend um dein Schicksal hergestellt.

FAHRT ÜBER DIE KÖLNER RHEINBRÜCKE
BEI NACHT

Der Schnellzug tastet sich
　　und stößt die Dunkelheit entlang.
Kein Stern will vor. Die ganze Welt ist nur ein enger,
　　nachtumschienter Minengang,
Darein zuweilen Förderstellen
　　blauen Lichtes jähe Horizonte reißen: Feuerkreis

Von Kugellampen, Dächern, Schloten,
    dampfend, strömend .. nur sekundenweis ..
Und wieder alles schwarz.
    Als führen wir ins Eingeweid der Nacht zur Schicht.
Nun taumeln Lichter her .. verirrt, trostlos vereinsamt .
    mehr .. und sammeln sich .. und werden dicht.
Gerippe grauer Häuserfronten liegen bloß,
    im Zwielicht bleichend, tot—
    etwas muß kommen .. o, ich fühl es schwer
Im Hirn. Eine Beklemmung singt im Blut.
    Dann dröhnt der Boden plötzlich wie ein Meer:
Wir fliegen, aufgehoben,
    königlich durch nachtentrissne Luft, hoch übern Strom
    O Biegung der Millionen Lichter, stumme Wacht,
Vor deren blitzender Parade
    schwer die Wasser abwärts rollen.
    Endloses Spalier, zum Gruß gestellt bei Nacht!
Wie Fackeln stürmend! Freudiges!
    Salut von Schiffen über blauer See! Bestirntes Fest!
Wimmelnd, mit hellen Augen hingedrängt!
    Bis wo die Stadt
    mit letzten Häusern ihren Gast entläßt.
Und dann die langen Einsamkeiten. Nackte Ufer.
    Stille. Nacht. Besinnung. Einkehr. Kommunion.
    Und Glut und Drang
Zum Letzten, Segnenden. Zum Zeugungsfest.
    Zur Wollust. Zum Gebet. Zum Meer.
    Zum Untergang.

Die Uhren schlagen sieben.
    Nun gehen überall in der Stadt die Geschäfte aus.
Aus schon umdunkelten Hausfluren,
    durch enge Winkelhöfe aus protzigen Hallen drängen
    sich die Verkäuferinnen heraus.
Noch ein wenig blind und wie betäubt
    vom langen Eingeschlossensein
Treten sie, leise erregt, in die wollüstige Helle
    und die sanfte Offenheit des Sommerabends ein.
Griesgrämige Straßenzüge leuchten auf und schlagen
    mit einem Male helleren Takt,
Alle Trottoirs sind eng mit bunten Blusen
    und Mädchengelächter vollgepackt.
Wie ein See, durch den das starke Treiben
    eines jungen Flusses wühlt,
Ist die ganze Stadt von Jugend
    und Heimkehr überspült.
Zwischen die gleichgiltigen Gesichter
    der Vorübergehenden
    ist ein vielfältiges Schicksal gestellt —
Die Erregung jungen Lebens,
    vom Feuer dieser Abendstunde überhellt;
In deren Süße alles Dunkle sich verklärt
    und alles Schwere schmilzt, als wär es leicht und frei,
Und als warte nicht schon,
    durch wenig Stunden getrennt, das triste Einerlei
Der täglichen Frohn — als warte nicht Heimkehr,
    Gewinkel schmutziger Vorstadthäuser,
    zwischen nackte Mietskasernen gekeilt,
Karges Mahl, Beklommenheit der Familienstube
    und die enge Nachtkammer,

mit den kleinen Geschwistern geteilt,
Und kurzer Schlaf, den schon die erste Frühe
aus dem Goldland der Träume hetzt —
All das ist jetzt ganz weit — von Abend zugedeckt —
und doch schon da, und wartend wie ein böses Tier,
das sich zur Beute niedersetzt,
Und selbst die Glücklichsten,
die leicht mit schlankem Schritt
Am Arm des Liebsten tänzeln,
tragen in der Einsamkeit der Augen
einen fernen Schatten mit.
Und manchmal, wenn von ungefähr der Blick
der Mädchen im Gespräch zu Boden fällt,
Geschieht es, daß ein Schreckgesicht mit höhnischer
Grimasse ihrer Fröhlichkeit den Weg verstellt.
Dann schmiegen sie sich enger, und die Hand erzittert,
die den Arm des Freundes greift,
Als stände schon das Alter hinter ihnen,
das ihr Leben dem Verlöschen in der Dunkelheit
entgegenschleift.

JUDENVIERTEL IN LONDON

Dicht an den Glanz der Plätze fressen sich und wühlen
Die Winkelgassen, wüst in sich verbissen,
Wie Narben klaffend in das nackte Fleisch
der Häuser eingerissen
Und angefüllt mit Kehricht,
den die schmutzigen Gossen überspülen.

Die vollgestopften Läden drängen sich ins Freie.
Auf langen Tischen staut sich Plunder wirr zusammen:

Kattun und Kleider,
    Fische, Früchte, Fleisch, in ekler Reihe
Verstapelt und bespritzt
    mit gelben Naphtaflammen.

Gestank von faulem Fleisch und Fischen klebt an Wänden.
Süßlicher Brodem tränkt die Luft, die leise nachtet.
Ein altes Weib
    scharrt Abfall ein mit gierigen Händen,
Ein blinder Bettler
    plärrt ein Lied, das keiner achtet.

Man sitzt vor Türen, drückt sich um die Karren.
Zerlumpte Kinder kreischen über dürftigem Spiele.
Ein Grammophon quäkt auf,
    zerbrochne Weiberstimmen knarren,
Und fern erdröhnt die Stadt
    im Donner der Automobile.

KINDER VOR EINEM
LONDONER ARMENSPEISEHAUS

Ich sah Kinder in langem Zug, paarweis geordnet,
    vor einem Armenspeisehaus stehen.
Sie warteten, wortkarg und müde,
    bis die Reihe an sie käme, zur Abendmahlzeit zu gehen.
Sie waren verdreckt und zerlumpt und drückten sich
    an die Häuserwände.
Kleine Mädchen preßten um blasse Säuglinge
    die versagenden Hände.

Sie standen hungrig und verschüchtert
    zwischen den aufgehenden Lichtern,

Manche trugen dunkle Mäler
   auf den schmächtigen Gesichtern.
Ihr Anzug roch nach Keller, lichtscheuen Stuben,
   Schelten und Darben,
Ihre Körper trugen von Entbehrung
   und früher Arbeitsfrohn die Narben.

Sie warteten: gleich wären die andern fertig,
   dann würde man sie in den großen Saal treten lassen,
Ihnen Brot und Gemüse vorsetzen und die Abendsuppe
   in den blechernen Tassen.
Oh, und dann würde Müdigkeit kommen und ihre
   verkrümmten Glieder aufschnüren,
Und Nacht und guter Schlaf sie zu Schaukelpferden
   und Zinnsoldaten
   und in wundersame Puppenstuben führen.

MEER

Ich mußte gleich zum Strand.
   In meinem Blute scholl
Schon Meer. O schon den ganzen Tag. Und jetzt die Fahrt
   im gelbumwitterten Vorfrühlingsabend. Rastlos schwoll
Es auf und reckte sich in einer jähen frevelhaften Süße,
   wie im Spiel
Sich Geigen nach den süßen Himmelswiesen recken.
   Dunkel lag der Kai. Nachtwinde wehten. Regen fiel . .
Die Böschung abwärts . . durch den Sand . . zu dir,
   du Flut und Wollust schwemmende Musik,
Du treibend Glück, du Orgellied, bräutlicher Chor!
   Zu meinen Füßen
Knirschen die Muscheln . . weicher Sand . .

wie Seidenmatten weich .. ich will dich grüßen,
Du lang Entbehrtes! O der Salzgeschmack,
    wenn ich die Hände, die der Schaum bespritzte,
    an die Lippen hebe ..
Viel Dunkles fällt. Es springen Riegel. Bilder steigen.
    Um mich wird es rein. Ich schwebe
Durch Felder tiefer Bläue.
    Viele Tag' und Nächte bauen
Sich vor mich hin wie Träume. Fern Verschollnes.
    Fahrten übers Meer, durch Sternennächte.
    Durch die Nebel. Morgengrauen
Bei Dover .. blaues Geisterlicht um Burg
    und Shakespeare's-Cliff, die sich der Nacht entrafften,
Und blaß gekerbte Kreidefelsen, die wie Kiefer
    eines toten Ungeheuers klaffen.
Sternhelle Nacht weit draußen auf der Landungsbrücke,
    wo die Wellen
Wie vom Herzfeuer ihrer Sehnsucht angezündet,
    Funken schleudernd, an den braunen Bohlen
    sich zerschellen.
Und blauer Sommer: Sand und Kinder. Bunte Wimpel.
    Sonne überm Meer,
    das blüht und grünt wie eine Frühlingsau.
Und Wanderungen, fern an Englands Strand,
    mit der geliebten Frau.
Und Mitternacht im Hafen von Southampton:
    schwer verhängte Nacht,
    darin wie Blut das Feuer der Kamine loht,
Und auf dem Schiff der Vater ..
    langsam bricht es in das Schwarz, nach Frankreich zu ..
    und wenig Monde später war er tot ..
Und immer diese endlos hingestreckten Horizonte.
    Immer dies Getön:

frohlockender und kämpfender Choral —
Du jedem Traum verschwistert!
　　Du in jeder Lust und jeder Qual!
Du Tröstendes! Du Sehnsucht Zeugendes!
　　In dir verklärt
Sich jeder Wunsch, der in die Himmel
　　meiner Schicksalsfernen fährt,
Und jedes Herzensheimweh nach der Frau,
　　die jetzt im hingewühlten Bette liegt
Und leidet, und zu der mein Blut wie eine Möwe,
　　heftige Flügel schlagend, fliegt.
Du Hingesenktes, Schlummertiefes!
　　Horch, dein Atem sänftigt meines Herzens Schlag!
Du Sturm, du Schrei,
　　aufreißend Hornsignal zum Kampf,
　　du trägst auf weißen Rossen mich zu Tat und Tag!
Du Rastendes!
　　Du feierlich Bewegtes, Nacktes, Ewiges!
　　Du hältst die Hut
Über mein Leben, das im Schachte
　　deines Mutterschoßes eingebettet ruht.

HIER IST EINKEHR

Hier ist Einkehr. Hier ist Stille, den Tagen und Nächten
    zu lauschen, die aufstehen und versinken.
Hier beginnen die Hügel. Hier hebt sich,
    tiefer landwärts, Gebirge, Kiefernwälder
    und durchrauschte Täler.
Hier gießt sich Wiesengrund ins Freie.
    Bäche spiegeln gesänftigt reine Wolken.
Hier ist Ebene, breitschultrig, heftig blühend,
    Äcker, streifenweis geordnet,
Braunschollig, grün, goldgelb von Korn,
    das in der Julisonne reift.
Tag kommt mit aufgefrischtem Himmel,
    blitzend in den Halmen;
    Morgen mit den harten, kühlen Farben,
Die betäubt in einen brennendgelben Mittag sinken —
    grenzenlose Julisonne über allen Feldern,
In alle Krumen sickernd, schwer ins Mark versenkt,
    bewegungslos,
In langen Stunden weilend, nur von Schatten überwölbt,
    die langsam weiter laufen,
Sich strecken und entzündet in das violette Farbenspiel
    des Abends wachsen,
Das nicht mehr enden will.
    Schon ist es Nacht, doch trägt die Luft
Mit Dämmerung vollgesogen
    noch den lichten Schein,
Der tiefer blühend auf der Schwindung
    der gewellten Hügelränder läuft —

Schon reicht unmerklich Frühe an die Nacht
    der weißen Sterne.
Bald weht aus Büschen wieder
    aufgewirbelt junges Licht.

Und viele Tag und Nächte werden in der Bläue
    auf- und niedersteigen,
Eintönig, tief gesättigt,
    wunschlos in der großen Sommerseligkeit —
Sie tragen auf den schweren
    sonngebräunten Schultern Sänftigung und Glück.

FLUSS IM ABEND

Der Abend
    läuft den lauen Fluß hinunter,
Gewittersonne übersprengt
    die Ufersenkung bunter.
Es hat geregnet.
    Alle Blätter dampfen Feuchte.
Die Weidenwildnis streckt mit hellen Tümpeln
    sich ins witternde Geleuchte.
Weiße Nebel
    sich ins Abendglänzen schwingen.
Unterm seichten Fließen dumpf und schrill
    die mitgezognen Kiesel klingen.
Die Pappeln stehn im Licht, traumgroße Kerzen
    dick mit gelbem Honigseim beträuft —
Mir ist, als ob mein tiefstes Glück durch grüne Ufer
    in den brennenden Gewitterabend läuft.

Die Tore aller Himmel stehen hoch
    dem Dunkel offen,
Das lautlos einströmt,
    wie in bodenlosen Trichter
Land niederreißend.
    Schatten treten dichter
Aus lockren Poren
    nachtgefüllter Schollen.
Die Pappeln,
    die noch kaum von Sonne troffen,
Sind stumpf wie schwarze Kreuzesstämme
    übers Land geschlagen.
Die Äcker wachsen grau und drohend —
    Ebenen trüber Schlacke.
Nacht wirbelt aus den Wolkengruben,
    über die die Stöße rollen
Schon kühler Winde,
    und im dämmrigen Gezacke
Hellgrüner Weidenbüschel,
    drin es rastend sich und röchelnd eingeschlagen,
Verglast das letzte Licht.

KLEINE STADT

Die vielen kleinen Gassen,
    die die langgestreckte Hauptstraße überqueren,
Laufen alle ins Grüne.
    Überall fängt Land an.
Überall strömt Himmel ein und Geruch von Bäumen
    und der starke Duft der Äcker.

Überall erlischt die Stadt
   in einer feuchten Herrlichkeit von Wiesen,
Und durch den grauen Ausschnitt
   niedrer Dächer schwankt
Gebirge, über das die Reben klettern,
   die mit hellen Stützen in die Sonne leuchten.
Darüber aber schließt sich Kiefernwald:
   der stößt
Wie eine breite dunkle Mauer an die rote Fröhlichkeit
   der Sandsteinkirche.

Am Abend, wenn die Fabriken schließen,
   ist die große Straße mit Menschen gefüllt.
Sie gehen langsam
   oder bleiben mitten auf der Gasse stehn.
Sie sind geschwärzt von Arbeit und Maschinenruß.
   Aber ihre Augen tragen
Noch Scholle, zähe Kraft des Bodens
   und das feierliche Licht der Felder.

DIE ROSEN IM GARTEN

Die Rosen im Garten blühn zum zweiten Mal.
   Täglich schießen sie in dicken Bündeln
In die Sonne. Aber
   die schwelgerische Zartheit ist dahin,
Mit der ihr erstes Blühen sich im Hof
   des weiß und roten Sternenfeuers wiegte.
Sie springen gieriger,
   wie aus aufgerissenen Adern strömend,
Über das heftig
   aufgeschwellte Fleisch der Blätter.

Ihr wildes Blühen
    ist wie Todesröcheln,
Das der vergehende Sommer
    in das ungewisse Licht des Herbstes trägt.

WEINLESE

Die Stöcke hängen vollgepackt mit Frucht.
    Geruch von Reben
Ist über Hügelwege ausgeschüttet.
    Bütten stauen sich auf Wagen.
Man sieht die Erntenden, wie sie,
    die Tücher vor der braunen Spätjahrsonne
    übern Kopf geschlagen,
Sich niederbücken und die Körbe
    an die strotzendgoldnen Euter heben.

Das Städtchen unten ist geschäftig.
    Scharen reihenweis gestellter,
Beteerter Fässer harren schon,
    die neue Last zu fassen.
Bald klingt Gestampfe
    festlich über alle Gassen,
Bald trieft und schwillt
    von gelbem Safte jede Kelter.

Welt reichte nur vom kleinen Garten,
    drin die Dahlien blühten, bis zur Zelle
Und durch die Gänge nach dem Hof
    und früh und Abends zur Kapelle.
Aber unter mir war Ebene, ins Grün versenkt,
    mit vielen Kirchen und weiß blühenden Obstbäumen,
Hingedrängten Dörfern, weit ins Land gerückt,
    bis übern Rhein, wo wieder blaue Berge sie umsäumen.
An ganz stillen Nachmittagen meinte man
    die Stimmen von den Straßen heraufwehen zu hören,
    und Abends kam Geläute,
Das hoch den blau ziehenden Rauch der Kamine überflog
    und mich in meinem Nachsinnen erfreute.

Wenn dann die Nacht herabsank
    und über meinem Fenster die Sterne erglommen,
War eine fremde Welt aus Büchern
    auf mich hergesenkt und hat mich hingenommen.
Ich las von Torheit dieser Welt, Bedrängnis, Späßen,
    Trug und Leiden,
Fromme Heiligengeschichten, grausenvoll und lieblich,
    und die alte Weisheit der Heiden.
Sinnen und Suchen vieler Menschenseelen
    war vor meine Augen hingestellt,
Und Wunder der Schöpfung und Leben, das ich liebte,
    und die Herrlichkeit der Welt.

Und ich beschloß, all das Krause,
    das ich seit so viel Jahren
Aus Büchern und Wald und Menschenherzen
    und einsamen Stunden erfahren,

Alles Gute,
     das ich in diesem Erdenleben empfangen,
Treu und künstlich in Bild und Schrift
     zu bewahren und einzufangen.
Später, wenn die Augen schwächer würden,
     in den alten Tagen,
Würd ich in meiner Zelle sitzen
     und übers Elsaß hinblicken
     und mein Buch aufschlagen,
Und meiner Seele sprängen
     wie am Heiligenquell im Wald
     den Blinden Wunderbronnen,
Und still ergieng ich mich und lächelnd
     in dem Garten meiner Wonnen.

GRATIA DIVINAE PIETATIS ADESTO SAVINAE
DE PETRA DURA PERQUAM SUM FACTA FIGURA
Alte Inschrift am Straßburger Münster

Zuletzt, da alles Werk verrichtet,
     meinen Gott zu loben,
Hat meine Hand die beiden Frauenbilder
     aus dem Stein gehoben.
Die eine aufgerichtet,
     frei und unerschrocken —
Ihr Blick ist Sieg,
     ihr Schreiten glänzt Frohlocken.
Zu zeigen, wie sie freudig
     über allem Erdenmühsal throne,
Gab ich ihr Kelch und Kreuzesfahne und
     die Krone.
Aber meine Seele, Schönheit ferner Kindertage
     und mein tief verstecktes Leben

Hab ich der Besiegten,
  der Verstoßenen gegeben.
Und was ich in mir trug an Stille,
  sanfter Trauer und demütigem Verlangen
Hab ich sehnsüchtig
  über ihren Kinderleib gehangen:
Die schlanken Hüften ausgebuchtet,
  die der lockre Gürtel hält,
Die Hügel ihrer Brüste
  zärtlich aus dem Linnen ausgewellt,
Ließ ihre Haare über Schultern hin
  wie einen blonden Regen fließen,
Liebkoste ihre Hände, die das alte Buch
  und den zerknickten Schaft umschließen,
Gab ihren schlaffen Armen die gebeugte Schwermut
  gelber Weizenfelder, die in Julisonne schwellen,
Dem Wandeln ihrer Füße die Musik von Orgeln,
  die an Sonntagen aus Kirchentüren quellen.
Die süßen Augen
  mußten eine Binde tragen,
Daß rührender durch dünne Seide
  wehe ihrer Wimpern Schlagen.
Und Lieblichkeit der Glieder,
  die ihr weiches Hemd erfüllt,
Hab ich mit Demut
  ganz und gar umhüllt,
Daß wunderbar
  in Gottes Brudernähe
Von Niedrigkeit umglänzt
  ihr reines Bildnis stehe.

AUS DEN KRITISCHEN SCHRIFTEN

Georg Heym: Der ewige Tag. Leipzig 1911. — Oskar
Loerke: Wanderschaft. Berlin 1911. — Max Dauthendey:
Die geflügelte Erde. Ein Lied der Liebe und der Wunder
um sieben Meere. München 1910.

Mit Georg Heym, der, kaum 25jährig, im letzten Winter
beim Schlittschuhlaufen auf dem Wannsee bei Berlin ver-
unglückte, ist eines der zukunftsvollsten unter den jungen
lyrischen Talenten Deutschlands hingegangen. Sein erstes
und einziges Versbuch »Der ewige Tag« ist mehr als eine
starke Verheißung: wirklich ein neuer Ton in der deutschen Lyrik der Gegenwart, etwas in seiner Art Vollkom-
menes. Nicht im Sinne jener verdächtigen Vollkommenheit, wie sie frühreife Georgeschüler in physiognomielo-
sen Erstlingsbüchern pflegen, sondern durch die Selbstän-
digkeit seiner dichterischen Visionen und die Intensität seiner Mittel. Hier spricht eine festgefügte Persönlichkeit, deren poetisches Ausdrucksvermögen über eine bildliche
Energie von erstaunlicher Wucht und Anschauung ver-
fügt. Modern und den Besten unter den Jungen verschwistert durch die unbedingte Zusage an unsere Gegenwart,
an diese Zeit, der noch die voraufgehende Generation ge-
schmäcklerisch und wählend gegenüberstand, und die Georges ethisches Pathos mit flammenden Worten verdammte.
Freilich findet sich bei Heym nichts von dem stürmischen
Überschwang, mit dem etwa Verhaeren die Größe unserer Zeit und die Wunder der großen Städte gefeiert hat.
Heyms ernstes und festes Jasagen ist einem Gefühl abge-
rungen, das ganz mit den Drohungen und Schrecknissen
des Lebens angefüllt ist. Wenn er die Großstadt malt,

gibt er Bilder der Elenden, Siechen und Bettler, zeigt er die
Spitäler, in deren Gängen die Krankheiten gespenstisch
wie Marionetten umhersteigen, die Höhlen des Elends,
den Schmutz und Hunger der Vorstadtgassen, wo zerlumpte Greise an Sommerabenden reglos vor engen Türen kauern, und der Lärm aus den Stuben dringt, in denen verwahrloste Kinder mit welken Eltern zusammen-
gepfercht sind. Heym ist ein Priester der Schrecken. Ein
Visionär des Grauenerregenden und Grotesken. Ein Bru-
der der Poe und Baudelaire (diesem verwandt auch in der
Strenge seiner Rhythmik und der metrischen Gefüge), und
mehr noch vielleicht der Rops und Kubin. Ganz hinge-
nommen im Anschaun seiner Gesichte, gleichsam erstarrt
von ihrer Furchtbarkeit, aber ohne fühlbares Mitschwin-
gen der Seele, ohne lyrische Bewegtheit, ganz der gegen-
ständlichen Gewalt seiner Bilder anheimgegeben, deren oft
ins Grelle und Ungeheuerliche verzerrte Umrisse er mit
wuchtigen, harten, kühlen Strichen nachzeichnet. Die
strenge Sachlichkeit, die unerschütterlich Bild an Bild reiht,
ohne jemals abzuirren, ins Unbestimmte auszuschweifen;
die starre Regelmäßigkeit seiner Rhythmik, die ein gä-
rendes, brausendes Chaos in eine knappe und gleichsam
unbewegte Form sperrt, geben mit der Fremdartigkeit seiner Vorwürfe die seltsamste Wirkung: ein Totentanz in den
verbindlichen Formen höfischen Zeremoniells. Gedichte
wie »Louis Capet«, »Robespierre«, »Ophelia« sind von
einer hohen Vollkommenheit. Bei anderen fühlt man stö-
rend eine gewisse Inkongruenz zwischen der formalen
Starrheit und der ungestüm über die metrischen Schranken hinausdrängenden Bildkraft. Wäre es Heym vergönnt
gewesen, sein starkes Talent auszureifen, so hätte er wohl
noch seine Form, seinen persönlichen Rhythmus gefunden.
Heyms lyrische Technik mutet zuweilen an wie ein ins

Groteske gesteigerter Naturalismus, der freilich durch die strenge Zucht der neuen lyrischen Verskultur hindurchgeschritten ist. Und vielleicht ist nichts charakteristischer für den neuen lyrischen Stil als das sichtbare Bestreben, gewisse Zusammenhänge mit der naturalistischen Lyrik der achtziger Jahre wieder aufzunehmen. Die Zeit der geschniegelten Wiener Kulturlyrik ist endgültig vorbei. (Das französische Gegenstück bietet die Auflehnung der Jungen gegen den Symbolismus.) Man ist es satt, immer nur Ausklang, Spätling zu sein. Der Wille regt sich, vorwärts zu zeigen, statt zurück, Anfang zu sein, lieber Unbeholfenheiten und Geschmacklosigkeiten zu wagen als in der Fessel eines immer mehr erstarrten Formalismus zu verkümmern. Dieser ernste Wille ist es auch, der den »Wanderschaft« benannten Versen Oskar Loerkes ihren Wert gibt. Man spürt hinter vielen dieser Gedichte, deren Autor wohl die Versuchung kennt, sich von alten Weisen forttragen zu lassen, seine Wanderseligkeit mit Uhlandschen und Eichendorffschen Tönen hinauszusingen, das Streben nach härterer Gegenständlichkeit, ungefärbterer Anschauung, den Willen, die ungeschmälerte, unverschönte Fülle des Wirklichen in seinen Versen einzufangen. Nicht zufällig gibt er sein Bestes in Großstadtgedichten, in Versen auf Berlin und Paris, wo schon der Stoffkreis die größere Energie und Intensität der Bilder bedingt.

Die neue Haltung des Ich zur Welt, die im Formalen die losere Bindung, die Entspannung des metrischen Gefüges, die Lockerung der Rhythmik, die Aufgabe einer wählerischen und aristokratischen Diktion zur Folge hat, findet im heutigen Deutschland keinen gewichtigeren Verkünder als Max Dauthendey. Dauthendeys Form ist ganz gelöst, ganz weich, nachgiebig, flexibel und darum wie keine andere fähig, alle Bilder der Außenwelt ebensowohl wie die feinsten

Schwingungen der Seele in sich zu sammeln. Nichts ist der feierlichen Stilisierung Georges ferner als die breit hingeschleiften, kaum noch die Zeichen metrischer Formung tragenden Verse dieses Dichters, dessen Erstlinge in den »Blättern für die Kunst« erschienen. Seine Langzeilen nähern sich einer rhythmisierten Prosa, zusammengehalten und abgeteilt nur durch die lockere und freischaltende Bindung der Reime. Wie für Heym ist auch für Dauthendey das Charakteristische die visuelle Intensität. Aber nicht wie bei Heym sieht eine von schreckhaften Gesichten gequälte Seele die Dinge im düsteren Leichenschein, sondern ein helles, freudiges, hingegebenes Temperament, ganz erfüllt und berauscht von den Wundern der Welt, dringt in die Dinge ein, indem es in ihnen untertaucht, sich von ihnen forttragen läßt, sich in sie wandelt. Sein »Lied der Liebe und der Wunder um sieben Meere«: »Die geflügelte Erde« ist ein stürmisches Preislied auf die Schönheit der Welt, und auch die Sehnsucht nach der Geliebten zu Hause, die er wie ein kostbares Amulett über alle Meere mitführt, mindert nichts an diesem Lebensenthusiasmus, dieser Hingegebenheit an die Dinge, die nichts Kleinliches, nichts Häßliches, nichts Unbedeutendes kennt. Vielleicht sind frühere Versbücher Dauthendeys, das »Lusamgärtlein«, »Weltspuk«, »Die ewige Hochzeit«, echter, reiner in ihrem lyrischen Gehalt. Vielleicht hat die Sorgsamkeit, mit der in diesem lyrischen Weltbaedeker jeder Eindruck, jedes Bild gebucht wird, zuweilen etwas allzu Programmatisches. Aber nirgends hat die Weltfreudigkeit, die vielleicht das Grundgefühl unserer Zeit ist, reicheren, umfassenderen, überzeugenderen Ausdruck gefunden. Dieses Buch, das über den Wundern indischer Sonnenuntergänge, der überschwänglichen Lieblichkeit japanischer Kirschblüte, dem Tagesanbruch in den Gassen am Ganges nicht den alten Trödler vergißt, der in den Gassen von Nikko seine Liebesfetische verkauft, und nicht den Barbier, der im Schiffsbauch zwischen Tiegeln, Büchsen und Flaschen sein Handwerk treibt, ist das stärkste Zeichen eines neuen, freudigen, allumspannenden Weltgefühls.

Der Kondor. Verse von Ernst Blass, Max Brod, Arthur Drey u. a. Hrsg. von Kurt Hiller. Heidelberg 1912. — Georg Heym: Umbra Vitae. Nachgelassene Gedichte. Leipzig 1912. — Lyrische Flugblätter. (Alfred Richard Meyer Verlag) Berlin-Wilmersdorf 1907—1912.

Die lyrische Anthologie »Der Kondor«, die Kurt Hiller herausgegeben hat, ist ein Buch, das man — trotz mancherlei Einwänden — loben sollte. Es zeigt Einsicht und Instinkt für das Neuwertige, Keimkräftige innerhalb der deutschen Gegenwartslyrik, stellt sich mit seiner Polemik scharf und deutlich auf den rechten Fleck (mag auch der Ton der überflüssig provozierenden Vorrede manchmal fehlgreifen) und gibt alles in allem, trotz seiner zuweilen wenig glücklichen Zusammenstellung, ein gutes Bild von dem, was die heutige lyrische Generation Neues zu sagen hat. Man sollte dies Buch übrigens schon darum loben, weil eine dumme und verantwortungslose Tageskritik seine Gewagtheiten zum billigen Vorwand genommen hat, ihren dünnen Witz spielen zu lassen und ihre absolute Kunstfremdheit jedem Einsichtigen wieder einmal zu dokumentieren.

Die Hillersche Vorrede kämpft nach drei Fronten: sie wendet sich gegen die steife Pose jener aristokratischen Formkünstler, die ihrem Meister George nur die Äußerlichkeit eines Faltenwurfes abgesehen haben, mit dem sie die Kümmerlichkeit ihres Leibes drapieren. Sie ist ablehnend gegen jene lyrischen Schwärmer, deren metaphysisches Gestammel durch alle Himmel und Höllen abstrakten Tiefsinns taumelt und vor dem kleinsten sinnlich umrissenen Bild versagt. (Die Zahl dieser Wüstenprediger ist in Deutschland, trotz Liliencron, Legion, da den Durchschnittsdeutschen immer noch die philosophische Geste hundertmal wertvoller dünkt als alle Sonnenhaftigkeit des Goetheauges.) Sie richtet sich endlich gegen jene in bürgerlichen Kunstblättern hochgelobten Pedanten, die mit vorgetäuschter Wucht und Straffheit philiströse Armseligkeiten verkünden. Jede dieser drei »Richtungen« ist an sich und durch ihren Einfluß eine Gefahr für die deutsche Lyrik, vor allem darum, weil (wie Hiller sehr richtig bemerkt) »was diese alle treiben, nicht Kitsch ist, sondern immerhin schlechte Kunst«.

Aus dieser Kampfstellung heraus erhebt der »Kondor« den Anspruch, als »Manifest« gewertet zu werden. Manifest wofür? Hiller sagt es nicht. Er nennt seine Anthologie »eine rigorose Sammlung radikaler Strophen«, womit schließlich wenig anzufangen ist, und vermeidet im übrigen mit einer fast übertriebenen Zurückhaltung, die Gemeinsamkeit der vierzehn hier vereinigten Lyriker irgendwie zu umgrenzen oder sie gar auf eine Richtung festzulegen. Nur ganz vorsichtig wird bemerkt, daß die nervösere Erlebnisart des »geistigen Städters« bevorzugt erscheine, »da man sie anderswo quäkerisch vernachlässigt hat«.

Es sind lauter noch Kämpfende, die sich hier zusammengefunden haben: solche mit schon klingendem Namen und andere, die sich vielleicht hier zum ersten Mal gedruckt finden. Befremdend wirken im Zusammenhang dieses Buches die Verse der Else Lasker-Schüler. Sie ist vielleicht die einzige, die eine Zusammenfassung der hier vereinigten Dichter unter irgendwie gemeinsamen Gesichtspunkten unmöglich machte. Ihre Aufnahme in diese Sammlung erscheint willkürlich, da sie doch seelisch und entwicklungsgeschichtlich in ganz andere Kreise gehört, etwa in die Nähe der Mombertsphäre. Ihr blind aufdrängendes Gefühl, die Dumpfheit und Dunkelheit ihrer Träume, steht in einem seltsamen Gegensatz zu der fast übertriebenen Bewußtheit und Helle, in der sich die Erlebnisse der meisten anderen Kondordichter abspielen. Geschah ihre Aufnahme bloß als eine Mahnung und als Protest, da man doch außerhalb enger literarischer Zirkel die starken Gedichte ihrer Sammlung »Meine Wunder« kaum kennt? Oder wollte Hiller zeigen, daß die neue Lyrik sehr wohl auch die kosmischen Schauer und die visionäre Mystik zuläßt, wofern sie nur in einer eigenen Seele gespiegelt und von einem künstlerisch formenden Temperament zurückgeworfen werden? Sie ist übrigens nicht eben glücklich vertreten, wie auch sonst die Wahl des Herausgebers (soweit die Verantwortung nicht auf die Autoren selber fällt) öfters stark fehlgreift. Am frappierendsten bei Schickele, der sich ganz uncharakteristisch präsentiert und von dessen abgedruckten Versen eigentlich nur das Gedicht »Der Papst« aus »Weiß und Rot« rechtens hier steht. Warum fehlt in einer Sammlung, die die Erlebnissphäre des »geistigen Großstädters« geben will, ein Gedicht so neu, machtvoll und »großstädtisch« wie die Antwort auf Dehmels »Predigt an das Großstadtvolk« oder »Tivoli-Vauxhall«, warum fehlt die glitzernde, ganz ins Licht einer schwebenden Weltfreude gehobene »Vorortballade«? Auch Schickeles frühere Sammlung »Mon Repos« (die Hiller wohl nicht gekannt hat) hätte Ausbeute gegeben. Gut ist der Prager Franz Werfel vertreten, weniger charakteristisch sein wesensverwandter

Freund Max Brod — beide übrigens (wie Schickele) schon fest umrissene literarische Physiognomien, obwohl von Werfel bis heute nichts vorliegt als der allerdings vollwichtige »Weltfreund«. Die Art, wie Werfel Dinge des täglichen Lebens sieht und wiedergibt, mit hellen sinnlichen Zügen, ohne Pathos, ohne sentimentale Geste, ohne Aristokratismus, mit einer ruhigen Gelassenheit und doch getragen von der Musik einer innerlichen Gehobenheit, ist stark und neu. Neben ihm erscheint Brod als der Unnaivere, dessen von einer wesentlich visuellen Begabung zeugende Anschauungskraft nicht wie bei Werfel in ein lyrisches Gesamtgefühl einmündet, das notwendig ist, um jenes Produkt innerlichen und sinnlichen Schauens, das lyrische Gedicht, entstehen zu lassen. Sein »Bad auf dem Lande« ist trotz vielen gut gesehenen Einzelheiten nicht viel mehr als ein Punkt an Punkt reihender Leitartikel. Georg Heym erscheint mit Versen aus dem »Ewigen Tag«, der hier seinerzeit gewürdigt worden ist, Paul Zech, der so ziemlich als einziger seine Erlebnisse aus dem Umkreis der »agrarischen Emotionen« holt, mit stark und plastisch gesehenen Landschaften. Mehr ein Curiosum als literarisch ernst zu nehmen sind die lyrischen Monstra des (übrigens begabten) Ferdinand Hardekopf, wenig wertvoll die Verse Ludwig Rubiners und S. Friedländers. Von den Jüngsten wären Arthur Kronefeld und Herbert Grossberger ebenso wie des Herausgebers eigene Verse besser fortgeblieben, während Ernst Blass durch selbständige Haltung und besondere Züge interessiert: die starke Bewußtheit seines Empfindens, eingegossen in eine übermäßig klare und emotionslose Form, die absichtsvolle Trivialität des Ausdrucks, die spöttische Kühle und Überlegenheit des Tons, die hier wirklich seelischer Ausdruck zu sein scheint (nicht, wie etwa bei Laforgue, dazu dient, ein zuckendes Herz zu verbergen). Man wird abwarten müssen, ob dieser Stil mit seiner einstweilen nicht sehr starken Übertragungskraft Entwicklungsmöglichkeiten in sich schließt.

Von einem der begabtesten der Kondordichter, dem früverstorbenen Georg Heym, bringt ein »Umbra Vitae« getaufter Band nachgelassene Verse. Sie fügen dem Bilde dieses Dichters, das sich früh und mit endgültigen Zügen eingeprägt hat, nichts Wesentliches hinzu. Der Stoffkreis bleibt ungefähr der gleiche wie im »Ewigen Tag«, nur daß in diesen letzten Versen die allzustarre Härte der Form, in der die düsteren und schreckhaften Visionen Heyms eingeschlossen sind, zuweilen gelockert ist, einer nachgiebigeren und nuancenreicheren Weichheit Platz macht, die vielleicht einmal dazu geführt hätte, den gar zu monotonen Klassizismus des Heymschen Versbaus zu sprengen.

Was der »Kondor« als Sammelmanifest geben will, ein Bild der jüngsten deutschen Gegenwartslyrik, das erstrebt Alfred Richard Meyer in den Einzelheften seiner »Lyrischen Flugblätter«, die auf 8–12 Seiten je einen Autor zu Wort kommen lassen. Der Herausgeber selber ist vertreten durch einen »Nasciturus« benannten Verszyklus, eine Art von poetischem Ehekalender, der das Wachsen des Kindes vom ersten Gefühl der Schwangerschaft bis zur Geburt begleitet. Sonst gibt es da eine reizvoll spielerische Jugenddichtung von Frank Wedekind »Felix und Galathea«, Hans Carossas Traumphantasie »Stella Mystica«, der man seither auch in seinen Gesammelten Gedichten wieder begegnet, und die vielleicht das beste ist, was diesem stark eklektischen Formtalent gelungen ist, Paul Paquitas »Entelechien«, die in eine Georgeisch schwere und gedrungene Form einen immerhin eigenen Seelengehalt fassen, Heinrich Lautensacks »Schlafzimmer«, ein feierlich-humorhaftes Erotikon, merkwürdig in seiner burlesken Stilmischung aus archaistisch-chronikhafter Getragenheit und bänkelsängerischem Draufgängertum. Am meisten interessieren die Verse eines jungen Arztes, Gottfried Benns »Morgue«. Schon äußerlich durch die Stoffwahl, die nun freilich gründlich mit dem lyrischen Ideal der Blaublümeleinritter aufräumt. Eine Blinddarmoperation als Gegenstand dichterischer Emotion hat immerhin den Anspruch der Neuheit für sich. Aber nur der Philister wird etwas Existierendes, etwas, das in unser Leben eingreift, von dem Erschütterungen ausgehen, prinzipiell aus dem Bereich der Kunst ausschließen. Entscheidend ist einzig die Leben weckende Kraft des Dichters. Und durch sie sind Gottfried Benns Verse gerechtfertigt. Mit einer unheimlichen Schärfe und Sachlichkeit läßt Benn den Vorgang aufleben, erst mit ein paar Meisterstrichen die Situation andeutend, dann in Rede und Gegenrede überspringend, ohne alles Sentiment, fast brutal, als handele es sich um nichts als einen nackten ärztlichen Operationsbericht, aber in jeder Zeile, in der Gedrängtheit der Folge, der Verteilung der Kräfte, der Macht der Vergegenständlichung den Künstler verratend. Auch die meisten anderen Gedichte dieses Heftes entstammen der klinischen Sphäre. Überall herrscht jene wie unbeteiligte Sachlichkeit, die nur Tatsächlichkeiten aufzureihen scheint und doch, auch ohne die zuweilen ins Allgemeine überleitenden Schlußzeilen, schon durch die gleichsam lautlos mitschwingende Musik der inneren Erschütterung verrät, daß hinter dieser schroffen Zugeschlossenheit ein starkes mitleidendes Gefühl steht, eine fast weibliche Empfindsamkeit und eine verzweifelte Auflehnung gegen die Tragik des Lebens und die ungeheure Gefühllosigkeit der Natur. Man lese, wie in dem Gedicht »Saal der kreißenden Frauen« dieses tragische Lebensge-

fühl ganz organisch aus dem Stofflichen aufsteigt, aus der
Elendschilderung, der dumpfen Krankenluft und dem Ge-
winsel der Gebärenden. Gefühl ist hier ganz Gegenstand
geworden, Realität, Tatsachenwucht. Und selbst wo einmal in knapp zusammenraffenden Worten von der sinnlichen Wahrnehmung zum Allgemeinen, Gesetzmäßigen
fortgeschritten ist, scheint die innere Vision unmittelbar
an den realen Vorgang anzusetzen wie in jenem Gedicht
— dem stärksten des ganzen Heftes —, wo Mann und
Frau zusammen durch die Krebsbaracke gehn:

»Man läßt sie schlafen. Tag und Nacht. — Den Neuen
sagt man: Hier schläft man sich gesund. — Nur Sonntags
für den Besuch läßt man sie etwas wacher. —

Nahrung wird wenig noch verzehrt. Die Rücken
sind wund. Du siehst die Fliegen. Manchmal
wäscht sie die Schwester. Wie man Bänke wäscht. —

Hier schwillt der Acker schon um jedes Bett.
Fleisch ebnet sich zu Land. Glut gibt sich fort.
Saft schickt sich an zu rinnen. Erde ruft. —«

Wer Lebensvorgänge mit solcher Knappheit und Wucht
zu gestalten und in so schicksalsvollen Gesichten auszu-
weiten vermag, ist sicherlich ein Dichter.

Franz Werfel: Wir sind. Neue Gedichte. Leipzig 1913.

Von Franz Werfel gab es bisher nur ein kleines Erstlingsbuch: »Der Weltfreund«. Gedichte, die sich aus der papier-
nen Flut lyrischer Erstlingsbücher heraushoben durch das

Neue und Wertvolle einer seelischen Haltung, die als das Lebensgefühl des jungen Geschlechtes überhaupt gelten durfte: heller, umfassender, unverzärtelter, weltfreudiger als das Lebensgefühl der vorausgehenden Generation mit ihren romantischen Velleitäten. Diese Haltung, die den innigsten Anschluß an alles Wirkliche suchte, ohne dabei in einen äußerlichen Naturalismus zu fallen, drückte sich aus in einer von jeder starren Bindung befreiten, aufgelockerten und darum allen vielfältigen neuen Inhalten offenen Form, die dennoch — wie jede wahre Form — ihre innere Gesetzmäßigkeit besaß. Was sich in jenem Erstlingsbuch Werfels vorbereitet hatte, ist in seinen neuen Gedichten »Wir sind« durchgeführt und erweitert. Diese Lyrik scheidet sich ebenso scharf von jenem lyrischen Subjektivismus, der ein mehr oder minder zufälliges persönliches Erlebnis wiedergibt und ins Typische projiziert, wie von jener exklusiven Stilisierung etwa des Georgekreises, die den subjektiven Anstoß des Erlebens ganz unterdrückt und doch von der Welt nichts zu fassen vermag als einen ganz bestimmten, wählerisch begrenzten Ausschnitt. In Werfels Gedichten ist eine solche Lust, in dem Tausendfältigen des Lebens aufzugehen, daß die sorgsame Hut des Persönlichen darüber gewichtlos wird. Dem, der sich in hundert Leben wiederfindet, reicht die unaufhörliche Analyse der eigenen Seele nicht mehr hin. Vor der unfaßbaren Fülle des Lebendigen, das auf Beseelung und Benennung durch die formende Kraft wartet, verstummen die Wünsche des eigenen Ich. Und doch führt aus dem Vielspältigen ein Weg immer wieder in die eigene Seele zurück, die sich im Fremden erkennt, indem sie sich darein verwandelt. Denn hier ist mehr als bloße menschliche Anteilnahme, soziales Mitempfinden oder gar jene zentrifugale Wandlungsfähigkeit romantischer Naturen, jener seelische »Indifferentismus«, der Gefühl und Kleid beliebig wechselt — hier vollzieht sich wirklich etwas wie eine geistige Transsubstantiation. Auf ihrem Grunde ist die neue und heftigere Intensität des Welterlebens, deren erste Verkünder Whitman und Verhaeren waren: berauschte Propheten freilich eher als schöpferische Erfüller. Bei Werfel, dem dieses Gefühl wirklich innerlicher Besitz, nicht stürmisch umworbene Sehnsucht ist, entlädt es sich — mindestens in den besten Gedichten — nicht in ekstatischen Visionen, sondern quillt ganz keusch und stark aus den Gebilden selber.

Julius Bab: Neue Wege zum Drama. Berlin 1911.

Keine literarische Gattung scheint heute so chaotisch, so unsicher ihres Weges, so wenig repräsentativ für die Epoche wie das Drama. Der Wille zum neuen, diese Gegenwart aussprechenden Stil, der sich im Lyrischen so reiche und mächtige Formen zu schaffen wußte, der selbst den Roman, für Deutschland von altersher die am wenigsten ergiebige und unselbständigste Kunstform, befruchtet und erhöht hat, vermochte es nicht, das große moderne Drama hervorzubringen. Müßig zu behaupten, daß unsere Zeit dem großen Drama keine Inhalte biete! Das moderne Weltgefühl, das in den Rhythmen Whitmans, Verhaerens, Dehmels um lyrische Befreiung ringt, wäre bedeutend genug, auch die dramatische Form zu füllen. Aber leider blieb der dramatische Messias bisher aus, und alle immer wieder wachen Hoffnungen wurden enttäuscht. Daß Hauptmann nicht der Erfüller unserer dramatischen Sehnsucht sein könne, als der er einst vielen erschien, ist inzwischen längst auch denen aufgegangen, die auch heute noch in diesem

Dichter unter allen Lebenden den lautersten und tiefsten Künder deutschen Wesens sehen. Die junge Generation, die über ihn hinaus zur großen dramatischen Schöpfung will, hat es bisher nicht über mehr oder minder gelungene Experimente hinausgebracht. Experimente, deren Wert häufig zweideutig wird durch die hilfesuchende Unsicherheit, mit der diese Dichter bei den dramatischen Stilen aller Zeiten und Völker Einkehr halten. Weder die Neuklassiker noch die Neuromantiker, weder die Neopathetiker noch die neuen Stürmer und Dränger haben den modernen dramatischen Gegenwartsstil gefunden. Was bleibt, ist ein wildes Durcheinander von Stilmischungen, das selbst dem Kundigen zu übersehen nicht immer leicht fällt.

In das Chaos der jüngstdeutschen dramatischen Produktion Sichtung und Ordnung zu bringen, sucht Julius Bab in seinen »Neuen Wegen zum Drama«. Kein Kritiker, der sich über die junge dramatische Literatur zu sprechen vornimmt, kann heute an Alfred Kerrs »Neuem Drama« vorbei, diesem — wie man heute auch sonst zu Kerrs kritischer Methode stehen mag — in der Instinktsicherheit seines Urteils außerordentlichen Buche, das eigentlich erst die ganze unserem Bewußtsein geläufige Wertskala für das moderne dramatische Schaffen festgestellt hat. Auch Bab, der, den jüngsten Nachwuchs musternd, Kerr gewissermaßen ergänzt und fortführt, kann sich diese Auseinandersetzung nicht ersparen. Im einzelnen und prinzipiell, offen und versteckt, bezieht er sich auf seinen kritischen Vorgänger. Kerr vor allem ist gemeint, wenn Bab von der epikureischen Bequemlichkeit einer rein impressionistischen Kritik, dieser läßlichen und wenig förderlichen Art der »psychischen Berichterstattung« spricht und dieser bloß reproduktiven unfreien Methode eine begrifflich zergliedernde, den Schöpfungsakt selbständig wiederholende Kunstkritik gegenüberstellt. Dagegen ist gewiß nichts zu sagen, und die Willkür impressionistischer Kritik, die namentlich in weniger berufenen Händen oft zur törichten Fratze ausartet, möchten auch wir innerhalb ernster Kunstbetrachtung zurückgedrängt sehen. Aber wenn Babs begrifflicher Eifer zu Klassifikationen schreitet, die einer Gruppe von Dramen Merkworte wie »Stufe der schlichten Talentlosigkeit«, »Stufe des überzüchteten Dichtertums« usw. an die Stirn heften, so ist doch mit solcher pseudowissenschaftlich aufgeputzter Zusammenfassung herzlich wenig getan. Dafür zeigt freilich die Analyse der einzelnen Dramen Verständnis, Geschick und sicheren Kunstverstand.

Carl Sternheim: Die Hose. Leipzig 1911. — Die Kassette. Leipzig 1912. — Bürger Schippel. Leipzig 1913. — Der Snob. Leipzig 1914.

Vier Komödien »aus dem bürgerlichen Heldenleben«. Ihre Summe ergibt, von einem kühlen und leidenschaftlichen Geist umrissen, das Gesicht dieser Zeit. Das Chaotische unserer Epoche, Zusammenstürzen noch eben gültiger Überlieferungen, Anarchismus aller Werte, mühselige Behauptung eines nicht mehr Geglaubten durch Wort und Geste, die zur leblosen Form entarten, weil keine Realität hinter ihnen steht — all das Ziellose, Ungeordnete, durch keine Gemeinsamkeit Geregelte, das deutsche Gegenwart heißt, ist hier von starken, wissenden Händen geformt. Spätere Geschlechter werden zu Sternheims Komödien greifen, um diese Epoche zu erkennen und zu richten. Nur das schlechthin Verächtliche, die gesinnungstüchtige Dumpfheit und selbstsichere Borniertheit hat in diesem Wirrwarr Bestand. Ihre Undurchdringlichkeit, Unberührbarkeit gibt ihr die Stärke. So ist Maske (in »Die Hose«): der fast ins Dämonische gesteigerte Typus einer gegen alle menschlicheren Gefühle gefeiten Philistrosität. Die Intensität der Gestaltung bedingt bei diesem Eiskalten, dessen Bild kein kleinster versöhnlicher Zug korrigiert, den psychologischen Wert des Gemäldes. Wo sich freundlichere, gewinnendere Elemente zumischen wie bei Hicketier (im »Bürger Schippel«), erhält die Waffenrüstung der Unentwegten Scharten. Man wird stärker das Schwanken und die Zweideutigkeit dieser imaginären Welt gewahr, aus der diese Worthelden ihre Lebensnahrung beziehen. Im »Snob« ist dann die unwirkliche Haltlosigkeit der Zeit in einem höchst gesteigerten Typus abgebildet: der Snob ist der schlechthin Milieulose, der nichts mehr ist als Geste — der Komödiant seiner Rollen, die er darum so vollkommen zu spielen weiß, weil er an keine den geringsten Bruchteil von Menschlichkeit oder Gefühl verliert.

Daß diesen Zeitkomödien dennoch jede direkte Beziehung auf zeitliche Aktualität fehlt, daß sie nicht diskutieren, sondern schöpferisch gestalten, das ist der Ruhm und die Gewähr ihres Künstlertums. Sie sind Spiegel der Zeit, aber sie sind ebensogut zeitlos, ewig, allgültig. »Die Kassette«, diejenige der vier Komödien, die in ihrer unheimlichen und ganz realen Phantastik am stärksten die Tragödie streift, ist wie eine Wiedergeburt des »Avare«, eine Wiedergeburt aus unserer Zeit heraus, mit anderem Tempo, von einem anderem Temperament, von spukhaften Lichtern übersprüht — und doch in allem Wesen unverändert und für alle Zeiten gültig. Darum zeigen diese Stücke auch ein ganz bewußtes Abrücken von zeitgenössischer Literatur schon in ihrer äußerlichen Technik, und sie sind in ihrer künstlerischen Beschaffenheit Molière und Holberg näher als den deutschen Gegenwartsdramatikern. Ihre hohe Originalität liegt nicht in der Erfindung, die mit einer absichtsvollen Gleichgültigkeit behandelt wird, sondern in ihrem Stil. Wenig geschieht. Wo sich etwas von einer anekdotischen Fabel findet, wie in der »Hose« und im »Schippel«, ist sie nie Selbstzweck, sondern nur Mittel, die Personen zur Aussprache zu bringen. Sobald dieser Zweck erreicht ist, wird die Fabel nebensächlich. Nicht Erfindungsarmut herrscht hier, sondern hohe künstlerische Zweckökonomie. Diese höchst geistigen Stücke stehen außerhalb der Welt, wo Stofflichkeiten unterhalten. Das Menschliche der Sternheimschen Gestalten offenbart sich nicht in Handlungen noch in der Art, wie sie auf ein besonderes Geschehen reagieren, sondern durch Worte. Eine wahre Besessenheit des Wortes zwingt sie, sich zu enthüllen. Ein höhnischer Dämon regiert ihre Zunge und entreißt ihnen die letzten Geheimnisse, während sie von Gleichgültigem zu sprechen glauben. Der Wille, nur das zu geben, was wirklich ausdrückt, ist hier so stark, daß der Dialog der Komödien daraus eine unerhörte Kondensierung erfährt. Äußerungen nur in ihrem Wesentlichen, Bleibenden, gleichsam in der Abbreviatur, festgehalten, eine stahlharte, schneidende Sprechweise, im geringsten das Widerspiel der mühselig nachplappernden naturalistischen Sprechart: Stil, der bewußt Eigentum des Dichters bleibt, eine blanke, untadelige Waffe, und der dennoch unübertrefflich zu charakterisieren, zu individualisieren vermag und wohl auch erweitert und verweilt, wo die Situation es gebietet. Ein Stil des scharfen Umrisses, der dennoch Fülle besitzt. Im Tempo dieses Dialoges lebt eine Leidenschaftlichkeit, die nichts gemein hat mit der breiten Gefühlspathetik Eulenbergschen Schlages. Sternheims Pathos ist ganz intellektuell und unsentimental. Es holt seine Wucht aus den Verkürzungen, Gruppierungen, ohne darum Menschliches je zur bloß witzigen Karikatur zu verzerren. Mit der derb polternden Bierhausopposition Ludwig Thomascher Stücke sollte man die revolutionäre Geistigkeit dieser Komödien nicht zusammenhalten. Daß ihr Stil, namentlich bei der Lektüre, zuweilen dünn und marionettenhaft wirkt, hat seine Ursache nur in unserer Gewöhnung an naturalistische Geschwätzigkeit. Vielleicht kommt eine Zeit, wo man neben diesem jagenden, rücksichtslosen, zum Wesen drängenden Stil die alte Gemächlichkeit der Dramensprache so unerträglich finden wird wie etwa den Vortrag einer literarischen Doktordissertation neben einer Kritik von Kerr.

Keine Frage, daß die Technik moderner Malerei diesem dichterischen Stil wichtigste Anregungen und Wirkungsmittel gegeben hat. Vor diesen Werken darf man wirklich das viel mißbrauchte Wort Expressionismus aussprechen. Und aus der bildenden Kunst stammt auch Sternheims Vorliebe für die ausdrückende Gebärde, die einprägsame, zusammenfassende Geste, die in allen diesen Dramen wiederkehrt. Wenn der Prolet Schippel dem Bürger Hicketier auf den wohlgenährten, von der weißen Weste umspannten Bauch trommelt, wenn im »Snob« Vater und Sohn Maske im Hochzeitsgemach des Jungen einen diabolischen, gespensterhaft an Callot gemahnenden Tanz der Blutsgemeinschaft aufführen, wenn der Snob am Ende, nachdem er die Ehre seiner Mutter preisgegeben hat, mit der Pose des Siegers vor der in Bewunderung erschauernden jungen Frau steht, so sind das Gebärden, die mit größter Symbolkraft stärkste Bildlichkeit und sinnliche Wirkung vereinen.

NACHWORT

Von Hans Rauschning

»Die beiden gefallenen Dichterfreunde Ernst Stadler, der
Straßburger Germanist, und Charles Péguy, der von Stadler übersetzte französische Lyriker, haben sich, wie jetzt
aus Stadlers Nachlaß bekannt wird, in den feindlichen
Schützengräben unmittelbar gegenüber gelegen. Ja, die
beiden befreundeten Feinde haben sich erkannt und auf
Zetteln ihre Gedanken ausgetauscht. ›Mon cher collègue
et confrère...‹ beginnt Stadlers Zuruf...« Wenn diese
im ›Literarischen Echo‹ von 1915 enthaltene Nachricht
wohl auch kaum mehr als eine Legende ist, so versinn-
bildlicht sie jedoch Ernst Stadlers Leben und Werk nahe-
zu vollkommen. Die Begegnung über trennende Gräben
hinweg kann als Gleichnis für einen Dichter angesehen
werden, von dem Hermann Hesse sagte, er sei »eine frühe,
noch vereinzelte Blüte eines europäischen Geistes...«
Stadler wuchs in weltoffenem großbürgerlichen Elternhaus
im Elsaß auf; der Vater war katholisch, seine Mutter
evangelisch, die Familie aus dem Bayrischen in das
deutsch-französische Grenzland übergesiedelt. Hier schon
deutet sich an, wie vielfältige Einflüsse in dem kultiviert-
toleranten Haus auf das schönste wirksam werden konn-
ten. Nach sorgfältiger Erziehung und Studien in Straßburg, München und Oxford wird Stadler Universitäts-
lehrer in Brüssel, im Sommer 1914 trägt ihm die Uni-
versität Toronto eine Professur an. Wenige Wochen später
zerreißt ihn eine englische Granate bei Ypern.
Schon die knappen biographischen Notizen bezeugen, wie

sehr das Leben dieses Mannes auf ein geistiges Mittler-
tum hin entworfen ist. Es gab für Stadler keine konfes-
sionellen, keine nationalen oder üblichen sprachlichen
Grenzen. Und das Bild vertieft sich bei Betrachtung des
ebenso vielfältigen wie beispielhaften Lebenswerkes. Der
Literaturwissenschaftler Stadler lehrt in Brüssel Deutsch
und arbeitet in Oxford über deutsche Shakespeare-For-
schung und er übersetzt Péguy, Balzac und Francis
Jammes. (Es ist Karl-Ludwig Schneider zu danken, daß
er auf die Arbeiten des Literaturkritikers Stadler hinge-
wiesen hat; der vorliegende Band enthält denn auch einige
Aufsätze, die von der Hellsichtigkeit und dem kritischen
Mut Stadlers zeugen und füglich als kritische Dokumente
des frühen Expressionismus hohes Interesse beanspruchen
können.)
Da aber, wo Stadler nicht mehr nur vermittelt oder über-
trägt oder übersetzt, da, wo er unmittelbar eigene Wirklichkeit formuliert, stößt er, zögernd anfangs und dann
um so unbeirrbarer, in eine unbekannte literarische Realität vor und markiert so — zusammen mit Trakl und
Heym — nicht nur den Beginn deutscher expressionistischer Lyrik, sondern zählt weit darüber hinaus zu den Ent-
deckern einer dem neuen Lebensgefühl gemäßen Sprache.
Aus dem neuromantischen L'art pour l'art wird nun »Mit-
menschentum«, um die Fülle lebendiger Möglichkeiten
schlechthin und ganz zu erfahren. Ein Vergleich der frühen Dichtungen — etwa ›Semiramis‹ oder ›Marsyas‹
(1904) — mit solchen wie ›Ballhaus‹ (1912) oder ›Irren-
haus‹ (1914) macht die abgeschrittene bedeutende Weg-
strecke erkennbar. Man sehe sich allein die Titel seiner
beiden großen Zyklen an; sie beweisen die veränderte
Haltung deutlich: ›Präludien‹, als Wort in Klang und Be-
deutung weich und spielerisch — und dagegen ›Der Auf-

bruch‹, bestimmt, hart, dynamisch. (1903 widmet der Dichter sein Spiel ›Freundinnen‹ Hugo von Hofmannsthal, dessen Einflüsse er elf Jahre später in seiner Vorlesung über die ›Geschichte der deutschen Lyrik der neuesten Zeit‹ als Gift für die Erstlingswerke der jungen Generation bezeichnet.)

Ein kurzes Wort muß jetzt über das Gedicht ‚Der Aufbruch‹ gesagt werden. Dem Leser nach mittlerweile zwei Weltkriegen wird die gewalttätige Lust am Leben, wie die Lust am Gewalttätigen erscheinen und unerträglich sein. Rauschhafte fatale Vitalität trieb die ganze Generation dieser Jungen rätselhaft an und führte sie in die Katastrophe, in den »Kugelregen« nämlich, der die »herrlichste Musik der Erde« macht. Schrieb Stadler also, »in Blick und Blut die Schlacht«, einen todestrunkenen Kriegsgesang? Derselbe Stadler klagte doch später in einem Brief an Sternheim: »Schließlich ist man doch zu sehr Nervenmensch, um die Soldatentugenden zu besitzen ... weil mir diese Art der Bravour abgeht und ich mir schließlich noch eine andere Aufgabe im Leben denke und wünsche, als mich von einer Granate in Stücke reißen zu lassen.« Und ein Straßburger Freund, der den offenbar tief deprimierten Stadler traf, wenige Stunden, bevor ihn eben dieses Schicksal ereilte, berichtete: »Ihm (Stadler) war etwa also: Dieser Krieg ist eine Narretei und widerlich obendrein ... ›Alles im braven Deutschland tut nur mehr in Kriegslyrik!‹« Kühlten sich Stadlers martialische »Aufbruch«—Gefühle an der Wirklichkeit der Schlacht und des Schlachtens ab?

Wie dem aber auch immer sei — gerade in Kenntnis des Stadler'schen Lebens und der darin wirksamen Kräfte kann das Gedicht ›Der Aufbruch‹ nicht zur bloßen Kriegslyrik degradiert werden. Das, was in diesen Strophen wirklich zählt, steht in den letzten vier Zeilen:

»Aber vor dem Erraffen / und vor dem Versinken /
würden unsere Augen sich an Welt und Sonne satt / und
glühend trinken.« Um eben diese Welt und die unbändige
Lust, das Leben zu erfahren, war es dem Dichter zu tun.
(Im Spiel ›Die Freundinnen‹ auch in sensueller Beziehung.)

Werkzeug seiner Erfahrung ist die Sprache. Um die grenzenlose Wirklichkeit unmittelbar in sich aufnehmen zu
können, muß ihre Form — Stadler verwendet immer
ausschließlicher die Langzeile — weithin offen sein:
Konsequent bemängelt er denn in seiner Rezension über
Georg Heym bei etlichen seiner Gedichte »eine gewisse
Inkongruenz zwischen der formalen Starrheit und der ungestüm über die metrischen Schranken hinausdrängenden
Bildkraft.« In seinem eigenen Werk vermag er solche hin-
ausdrängende Bildkraft in der Langzeile zu fassen. Zu-
dem nähert er die Sprache des Gedichts der der Prosa
an: aus der hermetischen Chiffre der Neuromantik wird
fast schon Signal für Massen.

»Der ungemein interessante Prozeß der Wendung von
einer ästhetischen zu einer ethisch bestimmten Kunst«,
schreibt Karl-Ludwig Schneider im ausführlichen und ein-
drücklichen Vorwort der kritischen Ausgabe, »ist in Stadlers ›Aufbruch‹ als persönlichstes Erleben in einer Fülle
von Bildern, Symbolen und Maximen unmittelbar gestal-
tet. Dieser Sachverhalt gibt dem ›Aufbruch‹ über das hinaus, was er als dichterische Leistung ohnehin bedeutet,
eine Sonderstellung innerhalb der deutschen Literatur . . .«

INHALT

Gedichte (1902—1905)

Verstreute Gedichte (1910—1914)

Der Aufbruch (1914)

Aus den kritischen Schriften

Die im Inhaltsverzeichnis hinter den Titeln eingeklammerten Jahres-
zahlen geben das Jahr der Erstveröffentlichung an. — Das gleiche
Prinzip wurde auch für die beiden Sammlungen ›Praeludien‹ und ›Der
Aufbruch‹ beibehalten; besonders erwähnt sei, daß die Sammlung ›Praeludien‹ bei Josef Singer, Straßburg, bereits Ende 1904 erschien, auf
dem Titelblatt jedoch das Jahr 1905 trägt.

Ernst Stadler

Dichtungen I · II

Gedichte und Übertragungen mit einer Auswahl der kleinen, kritischen Schriften und Briefe

Eingeleitet, textkritisch durchgesehen und erläutert von Karl Ludwig Schneider.

Band I 296 Seiten, Band II 412 Seiten, Leinen zusammen DM 29,— 1954 unter den »50 schönsten Büchern«.

Der Aufbruch

Bibliophile Ausgabe

Herausgegeben von Karl Ludwig Schneider

92 Seiten Pappband DM 24,—

1962 unter den »50 schönsten Büchern«.

Verlag Heinrich Ellermann

München   Hamburg

DER
GOLDENE
SCHNITT

Die »Neue Rundschau« in sieben Jahrzehnten
Herausgegeben von Christoph Schwerin

I Große Erzähler der Neuen Rundschau

Sechsundsechzig Erzählungen von: Gottfried Keller · Theodor Fontane · Leo Tolstoi · Fedor Dostojewski · Emile Zola · Anatole France · Oscar Wilde · George Bernard Shaw · Joseph Conrad · Knut Hamsun · Gerhart Hauptmann · Arthur Schnitzler · Hermann Bahr · André Gide · Heinrich Mann · Hugo von Hofmannsthal · Thomas Mann · Annette Kolb · Rainer Maria Rilke · Hermann Hesse · Martin Buber · Alfred Döblin · Robert Walser · Robert Musil · Stefan Zweig · Virginia Woolf · Franz Kafka · Hermann Broch · Franz Werfel · Joseph Roth · Jean Giono · Thornton Wilder · William Faulkner · Manfred Hausmann · Ernest Hemingway · Elisabeth Langgässer · Stefan Andres · Albrecht Goes · Luise Rinser · Albert Camus · Tibor Déry · Tennessee Williams · Ilse Aichinger und anderen.

II Große Essayisten der Neuen Rundschau

Einundsechzig Essays von: Theodor W. Adorno · Walter Benjamin · Gottfried Benn · Ernst Bloch · Otto Brahm · Carl J. Burckhardt · René Char · Ernst Robert Curtius · Albert Einstein · T. S. Eliot · André Gide · Hugo von Hofmannsthal · Karl Jaspers · Erich von Kahler · Alfred Kerr · Werner Kraft · Oskar Loerke · Georg von Lukács · Golo Mann · Heinrich Mann · Thomas Mann · Julius Meier-Graefe · Robert Musil · Walter Rathenau · Jean-Paul Sartre · Max Scheler · Werner Sombart · Peter Szondi · J. v. Uexküll · Paul Valéry · Alfred Weber · Leopold von Wiese · Heinrich Wölfflin · Stefan Zweig und anderen.

S. Fischer Verlag

NEUE RUNDSCHAU

Begründet von S. Fischer im Jahre 1890

Vierteljahrsschrift

Herausgeber: Golo Mann, Herbert Heckmann, Harry Pross, Gottfried B. Fischer

Redaktion: Rudolf Hartung

Autoren: Ilse Aichinger - Edward Albee - Richard Alewyn - Alfred Andersch - Raymond Aron - Antonin Artaud - Ingeborg Bachmann - Reinhard Baumgart - Wilfried Berghahn - Johannes Bobrowski - Jean Bollack - Max von Brück - Michel Butor - Paul Celan - René Char - Hans Daiber - Tibor Déry - Hilde Domin - André DuBouchet - Albrecht Fabri - Louis-René des Forêts - Sigmund Freud - Christopher Fry - William Golding - Günter Grass - Jürgen Habermas - Rudolf Hartung - Herbert Heckmann - Hugo von Hofmannsthal - Peter Huchel - Franz Kafka - Erich v. Kahler - Joachim Kaiser - Marie Luise Kaschnitz - Walther Killy - Hans Kudszus - Victor Lange - Reinhard Lettau - Ossip Mandelstamm - Golo Mann - Thomas Mann - Christoph Meckel - Henri Michaux - Karl Markus Michel - Arthur Miller - Janko von Musulin - Ivan Nagel - John Osborne - Enno Patalas - Harry Pross - Pierre Reverdy - Peter Rühmkorf - Ernst Schnabel - Hans Schwab-Felisch - Léopold Sédar Senghor - Wolf Jobst Siedler - Philippe Sollers - Hilde Spiel - John Updike - Klaus Wagenbach - Peter Weiss - Roland H. Wiegenstein - Thornton Wilder - Andrzej Wirth - Tennessee Williams - Virginia Woolf - Carl Zuckmayer

Einzelheft DM 4.50 - Jahresabonnement DM 16. –
Verbilligtes Jahresabonnement für Studenten DM 10. –

S. Fischer Verlag

Fischer Bücherei

Jeder Band DM 2.60 / Großbände (:) DM 3.80 / Doppelbände DM 4.80
Dreifachband DM 6.40
Zu beziehen durch jede Buchhandlung